LES PRATIQUES DU JARDINAGE

les plantes vivaces *de lumière*

LES PRATIQUES DU JARDINAGE

les plantes vivaces de lumière

JEAN LE BRET

17, RUE DU MONTPARNASSE, 75298 PARIS CEDEX 06

Réalisation de l'ouvrage
Éditions Pierre Anglade

Conseiller de la rédaction
Jean-Noël Burte
Conservateur des Jardins du Luxembourg

Conception graphique
Ernesto APARICIO

Illustrations
Barry MITCHELL

Secrétariat de rédaction
Martine Gérardin
Marguerite Brun-Cottan

Maquette
Adrien Rubingher
Florence Rapinat

Correction
Foliotine

Coordination
Nadine Sigwalt

Fabrication
Jeanne Grimbert

Choix iconographique
Martine Gérardin

Montage
Patrick Abdelmoumeni

ISBN : 2-03-515105-8

AVANT-PROPOS

Les plantes vivaces offrent, dans leur infinie diversité, de quoi satisfaire le jardinier néophyte comme l'amateur le plus averti.

Outre leur diversité, elles présentent l'avantage de prospérer en des sites différents, si bien que ces plantes sont toujours de précieuses alliées pour la décoration des jardins.

Il n'est guère de jardins que les plantes vivaces ne puissent conquérir, pas de sol dans lequel elles ne puissent pousser. Certaines d'entre elles sont connues depuis l'Antiquité. Elles furent d'abord cultivées à des fins alimentaires, puis thérapeuthiques. De nos jours, elles continuent à nous enchanter dans les jardins d'ornement, où leur beauté s'allie à une étonnante vigueur.

Les ressources ornementales et culturales de la flore vivace, la quantité impressionnante d'espèces qui la composent, ainsi que les anecdotes et les découvertes qui s'y rattachent ne pourraient toutes être contenues dans une encyclopédie. Toutefois, l'amateur trouvera ici un vaste éventail de vivaces vivant au soleil et pouvant s'adapter aux situations ensoleillées que l'on peut rencontrer dans un jardin.

Outre la description des plantes et des sites, le lecteur trouvera un grand nombre de conseils pratiques de culture. Il n'aura pas à se heurter à trop de termes techniques et botaniques. Mon principal souci, en effet, tout au long de la rédaction de cet ouvrage, a été d'apporter des informations à la portée de tous.

J'espère y avoir réussi grâce à l'aide précieuse de Michel Nogues, qui a su me communiquer sa passion des plantes, et de Jean-Pierre Cordier, qui a bien voulu me faire bénéficier de ses précieux conseils et de sa connaissance du vaste et merveilleux monde des plantes vivaces.

JEAN LE BRET

TABLE DES ESPÈCES PAR NOM LATIN

Selon l'usage, les espèces ont été classées dans l'ordre alphabétique latin. Pour plus de commodité, vous trouverez à la page ci-contre la liste des espèces en français ainsi que le numéro de la page où elle ont été décrites.

Acanthus 28
Achillea 29
Agapanthus 31
Agastache 32
Alstroemeria 33
Althaea 34
Anaphalis 35
Anchusa 36
Anthemis 37
Anthericum 38
Aquilegia 38
Arenaria 41
Armeria 41
Artemisia 42
Asclepias 45
Asphodeline 46
Asphodelus 46
Aster 47
Baptisia 52
Boltonia 53
Buglossoides 53
Callirhoe 54
Campanula 54
Catananche 57
Centaurea 58
Centranthus 59
Cephalaria 60
Ceratostigma 60
Chrysanthemum 61
Chrysogonum 64
Commelina 64
Coreopsis 65
Crambe 66
Crocosmia 67
Cynara 68
Delphinium 68
Dianthus 71
Dictamnus 72
Dierama 73
Dracocephalum 73
Echinacea 74
Echinops 75
Eremurus 76
Erigeron 77
Erodium 78
Eryngium 78
Euphorbia 80
Foeniculum 81
Gaillardia 82
Gaura 82
Geranium 83
Geum 87
Gypsophila 88
Helenium 89
Helianthus 90
Heliopsis 91
Hesperis 92
Hypericum 93
Hyssopus 94
Incarvillea 94
Inula 95
Iris 97
Kniphofia 99
Lavandula 100
Lavatera 101
Liatris 102
Limonium 102
Linaria 103
Linum 104
Lupinus 104
Lychnis 106
Malva 107
Marrubium 108
Morina 108
Nepeta 109
Oenothera 110
Origanum 111
Paeonia 112
Papaver 115
Penstemon 117
Phlomis 118
Phuopsis 119
Physalis 119
Platycodon 120
Polemonium 121
Potentilla 122
Prunella 123
Romneya 124
Rudbeckia 124
Ruta 126
Salvia 127
Santolina 130
Saponaria 131
Scabiosa 131
Sedum 132
Sidalcea 133
Silene 133
Stachys 134
Teucrium 135
Verbascum 136
Veronica 137
Zauschneria 139

TABLE DES MATIÈRES

AVANT-PROPOS 5

LA CULTURE DES PLANTES VIVACES 8

LE GUIDE DES PLANTES VIVACES DE LUMIÈRE 26

Acanthe 28
Achillée 29
Agapanthe 31
Agastache 32
Lis des incas 33
Althaéa 34
Anaphalis 35
Buglosse 36
Camomille 37
Phalangère 38
Ancolie 38
Arénaire/sabline 41
Gazon d'Espagne 41
Armoise 42
Asclépiade 45
Bâton de Jacob 46
Asphodèle 46
Aster 47
Baptisia 52
Aster étoilé 53
Buglossoides 53
Callirhoé 54
Campanule 54
Cupidone 57
Centaurée 58
Valériane des jardins 59
Scabieuse du Caucase 60
Plumbago 60
Chrysanthème 61
Chrysogonum 64
Commélina 64
Coréopsis 65
Chou 66
Crocosmia 67
Artichaut 68
Pied d'alouette 68
Œillet 71
Fraxinelle/Plante aux éclairs 72
Diérama 73
Tête de dragon 73
Échinacéa 74
Boule bleue/Chardon bleu 75
Cierge des steppes/Aiguille de Cléopâtre 76
Vergerette 77
Bec de grue 78
Panicaut 78
Euphorbe 80
Fenouil 81
Gaillarde 82
Gaura 82
Géranium/Bec de grue 83
Benoîte 87
Gypsophile 88
Hélénie 89
Soleil 90
Héliopsis 91
Julienne 92
Millepertuis 93
Hysope 94
Incarvillée 94
Aunée 95
Iris 97
Kniphofia 99
Lavande 100
Lavatère 101
Liatride 102
Limonium 102
Linaire 103
Lin 104
Lupin 104
Lychnide/coquelourde 106
Mauve 107
Marrube 108
Morina 108
Herbe aux chats 109
Œnothère 110
Origan 111
Pivoine 112
Pavot 115
Penstemon 117
Phlomis 118
Phuopsis 119
Coqueret/Amour en cage 119
Platycodon 120
Valériane 121
Potentille 122
Brunelle 123
Romneya 124
Rudbeckia 124
Rue 126
Sauge 127
Santoline 130
Saponaire 131
Scabieuse 131
Orpin 132
Sidalcée 133
Silène 133
Épiaire 134
Germandrée 135
Molène 136
Véronique 137
Zauschnéria 139

GLOSSAIRE 140

INDEX 143

LA CULTURE DES PLANTES VIVACES

Par la diversité de leurs coloris, de leurs silhouettes, de leur feuillage et l'échelonnement de leur floraison, les plantes vivaces nous offrent la possibilité de créer des jardins fleuris chatoyants de couleurs, du tout début du printemps à l'automne reculé. Ces plantes ne peuvent manquer de séduire, car leurs charmes sont multiples. Sobres, courageuses et faciles à vivre, elles sont capables de prospérer sans changer de place pendant de nombreuses années, pourvu que l'on sache répondre à leurs modestes exigences.

Il fallut atttendre le milieu du XVIIIe siècle et la naissance de Karl von Linné pour qu'un langage commun, le latin, encore utilisé de nos jours, s'impose pour la désignation des végétaux.
Cette classification internationale élimine les barrières dues aux différentes langues, et, dans chaque pays du monde, les plantes sont désormais désignées de façon indentique. Ainsi, l'usage du latin permet de communiquer avec exactitude au sujet des plantes.

Le médecin Karl Von Linné (1707-1778), inventeur du système de classification des plantes , des animaux et des minéraux.

Le nom des plantes

Linné eut l'idée de donner un nom et un prénom à chaque plante. Soit un nom de vivace: *Aquilegia caerulea.* Le premier mot *Aquilegia,* qui se rapporte aux ancolies, désigne le genre de la plante. Il précède le « prénom », *caerulea,* qui indique l'espèce. Le nom de genre est toujours orthographié avec une lettre majuscule à l'initiale, alors que le nom de l'espèce, dans la pratique, s'écrit toujours avec une initiale minuscule. Parfois, les noms du genre et de l'espèce sont suivis de celui du cultivar, qui est une obtention horticole souvent appelée à tort variété. Le nom du cultivar commence toujours par une majuscule et il est encadré de guillemets simples: ainsi, *Aquilegia caerulea* 'Blue Star'. Ce dernier nom n'est plus nécessairement écrit en latin. Il décrit une particularité botanique de la plante, par exemple la couleur de ses fleurs ou de ses feuilles, ou il est dérivé du nom du découvreur. Lorsqu'une plante est obtenue par le croisement de deux espèces d'un même genre, il s'agit botaniquement d'un hybride. Son nom d'espèce est alors précédé du signe « x » de multiplication. Ainsi, *Gaillardia x grandiflora* est un croisement de *G. aristata* et de *G. pulchella.* Parfois, les hybridations ont été tellement nombreuses que l'on ne sait plus exactement quelles sont les plantes qui ont donné le jour aux hybrides. Ainsi en est-il des delphiniums hybrides du groupe *Pacific* ou encore des delphiniums hybrides du groupe *Elatum.*

Les plantes vivaces

Les plantes vivaces n'appartiennent pas à une classification botanique précise. L'expression « plante vivace » vient plutôt d'une constatation empirique. Il s'agit de végétaux herbacés capables de pousser et de fleurir plus de deux années consécutives.

Les parties aériennes des plantes vivaces disparaissent souvent dès les premières gelées, parfois plus tôt, à l'automne, ou juste après la floraison. La vie se concentre alors sous la surface du sol, à l'intérieur des racines, qui peuvent être fibreuses, tubéreuses, rhizomateuzes, ou des tiges souterraines, portant des bourgeons latents en dormance jusqu'au printemps suivant.

Toutefois, certaines plantes bulbeuses se comportent de la même façon et font l'objet d'une classification particulière. Cette distinction fondée sur la nature de la partie souterraine est quelque peu arbitraire. Mais il s'agit là d'habitudes prises en horticulture depuis des décennies. Par ailleurs, parmi les plantes vivaces, se trouvent d'autres végétaux aux caractères botaniques spécifiques qui, en principe, ne devraient pas s'y trouver. Il s'agit des fougères ainsi que de nombreuses plantes sous-arbustives qui, par leur taille, leurs besoins et leur culture s'apparentent aux plantes vivaces.

Enfin, à l'intérieur de la catégorie des plantes vivaces, certains végétaux se comportent différemment des autres. Ils possèdent, par exemple, un feuillage persistant sur des rameaux herbacés ou faiblement ligneux. C'est le cas, notamment, de l'œillet, *Dianthus,* qui conserve son feuillage toute

Les lupins ont besoin d'être rajeunis tous les 3 à 4 ans.

l'année. On parle alors de plantes vivaces à feuillage persistant.

Il est intéressant de noter que la notion de rusticité, attachée à ces plantes, est variable selon le pays dans lequel on se trouve. L'exemple nous est fourni par le pétunia qui, cultivé en France comme plante annuelle, est parfaitement vivace sous les Tropiques. On ne considère donc comme plantes vivaces que celles qui résistent aux froids de nos hivers. Les plantes données comme rustiques dans cet ouvrage le sont dans la plus grande partie de la France.

La culture des plantes vivaces de soleil

Les plantes vivaces sont accommodantes et d'une grande frugalité. Il n'est, en effet, pas rare de voir refleurir tous les ans, dans les jardins d'un âge respectable, des pivoines, des grandes marguerites ou autres asters, sans qu'aucun entretien ni nourriture ne leur ait été spécialement fournis. Toutefois, quelques exceptions confirment cette règle et certaines plantes très florifères et améliorées par l'homme, telles, par exemple, les phlox, les delphiniums, les héliopsis, ont besoin d'être régulièrement rajeunies et de recevoir de fréquents apports de nourriture.

La culture des plantes vivaces n'est pas particulièrement délicate, pourvu que l'on prenne quelques précautions. Le jardinier néophyte ne devra pas, par exemple, se livrer, dès les premiers beaux jours, à des achats inconsidérés avant de bien connaître le sol de son jardin et de l'avoir préparé à accueillir ces nouvelles plantes.

La connaissance du sol

Les plantes sont des organismes vivants étroitement liés à la terre qui les voit croître. C'est la raison pour laquelle il est indispensable de bien connaître la composition du terrain que l'on souhaite planter.

En fait, il existe peu de terrains incultivables, et les plantes vivaces, dans leur immense diversité, comptent de nombreuses espèces pouvant s'adapter, de par leurs origines les plus variées, à toutes les situations que l'on peut rencontrer dans un jardin et rester en place durant de nombreuses années.

Il vaut mieux jardiner avec son sol, non contre lui, et, dans un premier temps, planter tous les végétaux qui s'y adapteront naturellement, en douceur, sans efforts inconsidérés. Pour tout savoir sur son sol, on peut avoir recours à un laboratoire spécialisé dans ce genre d'examen, qui déterminera avec une grande précision les quantités des différents éléments contenus dans le sol, ainsi que les amendements à lui apporter éventuellement. Mais avant de s'engager dans cette voie « technique », il est préférable et plus instructif que le jardinier devine sa terre, qu'il la sente.

L'appréciation du sol

Les paysans d'autrefois goûtaient leur sol pour connaître ses secrets et parfaire la symbiose qui allait les unir. Sans aller jusque-là, on peut apprécier la terre, sa chaleur, sa texture, son odeur en la manipulant à mains nues. Une terre légère est chaude, elle glisse entre les doigts.
Si elle crisse, c'est le signe d'une forte teneur en sable. Une terre humifère s'apprécie à son odeur forte ; elle fleure bon l'humus et la vie qui s'en

dégage ; la motte s'effrite en nombreuses particules arrondies, fraîches, mais pas trop humides. Une terre marécageuse, asphyxiée, dégage une odeur nauséabonde, tandis qu'une terre très argileuse, par son contact froid et visqueux, laisse un effet de « pâte à modeler » dans la main.

La couleur du sol

L'examen de la couleur du sol permettra de prévoir les amendements à effectuer. Plus le sol sera noir, plus sa teneur en humus sera importante. En revanche, si la terre est rouge brique ou jaune sable, elle nécessitera des apports d'humus sous forme de compost à faire soi-même, ou sous forme de terreau ou encore de tourbe blonde achetés dans le commerce.

Mais ces constatations ne sont pas suffisantes pour déterminer la richesse du sol. On peut très bien avoir, en effet, une terre légère et noire qui soit pauvre en éléments nutritifs. Un autre indice qui renseignera le jardinier sur l'activité biologique indispensable au bon équilibre de son sol est la présence des vers de terre. Plus ils sont nombreux, meilleure est la terre, et le possesseur d'un sol riche en lombrics est presque assuré de voir réussir ses futures plantations.

Les défauts physiques du sol

Quel que soit le type de sol que l'on possède, sa modification est une œuvre de longue haleine, et souvent fort coûteuse. C'est pourquoi il vaut mieux, dès le début, accepter de jardiner avec son sol plutôt que vouloir le modifier à tout prix.

Parmi les milliers d'espèces et de cultivars de plantes vivaces proposés dans le commerce aujourd'hui, il en existe pour tous les sols et pour toutes les expositions. L'amateur choisira donc parmi ces plantes celles qui se plairont dans son jardin, quitte ensuite à en modifier lentement la structure, afin d'introduire de nouvelles espèces présentant d'autres besoins. Il convient, par ailleurs, de considérer que les plantes elles-mêmes modifieront lentement le sol et sa texture. Le jardinier n'aura plus alors qu'à faire chaque année des apports réguliers de matières organiques.

Les modifications profondes du sol

Il arrive de plus en plus fréquemment que lors de la construction de maisons individuelles ou de lotissements le sol subisse d'importantes transformations. Ces travaux exécutés avec d'énormes machines de terrassement entraînent un bouleversement considérable du sol et il n'est pas rare de voir, à la fin des travaux, la terre du sous-sol étalée en surface au-dessus de la terre originelle. Dans de pareils cas, la couche de bonne terre se retrouve sous une chape de terre de fond, malheureusement assez souvent mélangée à des gravats, et ne possédant plus aucun humus. Un amendement très humifère s'impose avant toute plantation, sous forme de terreau, de tourbe blonde ou de bonne terre de surface. Mais cette fois encore, l'amateur trouvera de nombreuses plantes vivaces qui s'accommoderont des remblais.

La flore spontanée

L'étude de la flore spontanée permet à l'observateur de mieux connaître son sol. Cette étude prend, bien entendu, plus de signification à la campagne qu'aux abords des villes qui ont vu leur paysage profondément modifié. Par ailleurs, toutes les plantes sau-

Helleborus foetidus, ***plante des sous-bois calcaires.***

Clematis vitalba ***occupe les mêmes lieux que*** **Helleborus foetidus.**

Physalis franchetii ***peuple souvent les terroirs à vignes.***

FLORE SPONTANÉE ET NATURE DU SOL			
Espèces observées	**Type de sol**	**Espèces observées**	**Type de sol**
Achillée millefeuille *(Achillea millefolium)*	Sec, sableux ou argilo-sableux	Genêt à balai *(Sarothamnus scoparius)*	Acide et riche en sable, non calcaire
Ajonc *(Ulex europaeus)*	Acide, non calcaire	Grande ortie *(Urtica dioica)*	Riche en azote
Amour en cage *(Physalis alkekenge)*	Calcaire, terroir à vignes	Grand plantain *(Plantago major)*	Tassé, compact, humide, riche en azote et en magnésium
Cardamine des prés *(Cardamine pratensis)*	Frais, humide et riche	Hellébore fétide *(Helleborus fœtidus)*	Calcaire et sec
Carotte sauvage *(Daucus carotta)*	Argileux ou argilo-limoneux, ni trop sec ni trop humide, neutre ou légèrement calcaire	Houblon *(Humulus lupulus)*	Humide
Châtaignier *(Castanea sativa)*	Acide, plutôt sableux, non calcaire	Moutarde des champs *(Sinapsis arvensis)*	Argilo-calcaire ou calcaire riche
Chardon *(Circium arvense)*	*Compact et frais*	Petite oseille *(Rumex acetosella)*	Sableux, sec et acide, parfois humide, non calcaire
Chiendent pied de poule *(Cynodon dactylon)*	Sableux à argilo-sableux	*Potentille rampante* *(Potentilla reptans)*	Humide, argileux ou limoneux, parfois argilo-sableux humide
Chiendent rampant *(Agropyron repens)*	Compact, frais et argileux, riche en azote	Prêle des champs *(Equisetum arvense)*	Sableux ou argilo-limoneux, humide et compact
Clématite vigne-blanche *(Clematis vitalba)*	Calcaire	Reine des prés *(Filipendula ulmaria)*	Humide, avec une nappe d'eau proche de la surface du sol
Consoude officinale *(Symphytum officinale)*	Humide, très frais	Renoncule rampante *(Ranunculus repens)*	Argileux, humide, lourd ou argilo-sableux ou limoneux
Cornouiller mâle *(Cornus mas)*	Sec et calcaire, en population importante	Rumex crépu *(Rumex crispus)*	Argileux ou limoneux, compact et lourd, souvent riche en azote
Églantier *(Rosa canina)*	Peu humide, plutôt léger, neutre ou faiblement calcaire	Sureau noir *(Sambucus nigra)*	Frais à humide, riche en azote
Ficaire *(Ranunculus ficaria)*	Humide, riche en azote	Sureau yeble *(Sambucus ebulus)*	Argilo-calcaire ou sableux, frais
Fougère aigle *(Pteridium aquilinum)*	Pauvre, acide	Tussilage pas-d'âne *(Tussilago farfara)*	Argilo-calcaire ou sableux frais
Frêne *(Fraxinus excelsior)*	Frais à humide	Viorne lantane *(Viburnum lantana)*	Calcaire
Gaillet grateron *(Galiem aparine)*	Calcaire, riche en azote	Viorne obier *(Viburnus opulus)*	Humide

Un bonne préparation du sol avant la plantation est importante. Le terrain doit être propre et exempt de toute mauvaise herbe.

vages ne peuvent fournir des indications valables, car certaines plantes poussent indifféremment sur divers types de sol, tels le mouron des oiseaux ou la petite cardamine, par exemple.

L'observation doit en outre porter sur plusieurs espèces et les indications données par chacune d'elles doivent concorder. De même, il sera plus valable d'observer des colonies importantes de plantes que quelques touffes isolées.

L'observation gagnera à être faite le plus près possible du jardin, dans les haies, les talus, les fossés avoisinants ou même dans le jardin si celui-ci est plus ou moins à l'abandon, ou lorsque des populations importantes de mauvaises herbes le peuplent.

La lutte contre les mauvaises herbes

Après avoir observé la flore spontanée du jardin, bien étudié le terrain et délimité l'emplacement des futurs massifs, il convient d'éliminer les mauvaises herbes. Vouloir installer des plantes vivaces ornementales là où règnent en maîtresses d'autres plantes vivaces telles que les chardons, le liseron et le chiendent relève de l'utopie. Ces mauvaises herbes, bien implantées dans leur terrain, auront tôt fait de reprendre le dessus, si elles ne sont pas radicalement exterminées. La présence de mauvaises herbes annuelles est moins gênante. Celles-ci infestent surtout le terrain nu lorsqu'une culture vient d'être abandonnée et elles ne résistent généralement pas à l'implantation des vivaces.

Autrefois, le désherbage était effectué à la main. Pour de petites surfaces, cette façon de faire reste une excellente solution, car la terre peut ainsi être débarrassée de toutes les racines au fur et à mesure du bêchage. Le travail manuel est incontestablement le mieux fini, mais il est long et éprouvant. De plus, certaines plantes comme le chardon ou le liseron enfoncent très profondément leurs racines et repoussent continuellement tant qu'il en reste un tronçon vivant dans le sol. Pour en venir à bout, il faut beaucoup de patience et arracher les pousses dès leur apparition, sans cesse, pour finir par épuiser les racines. Il existe aujourd'hui des désherbants systémiques, sans danger pour la terre, qui sont absorbés par le feuillage sur lequel on les pulvérise. Ces désherbants, à base de glyphosate, pénètrent par le feuillage et circulent dans la sève jusqu'à l'extrémité des racines, entraînant une destruction complète des végétaux.

L'utilisation de ces désherbants demande quelques précautions. On obtiendra les meilleurs résultats, si on les applique lorsque les plantes à détruire sont en pleine végétation. Plus les mauvaises herbes seront vigoureuses, plus vite elles seront détruites. Le temps doit être sec le jour de l'application pour éviter que le produit ne soit dilué. Il est préférable, par ailleurs, que la température soit supérieure à 10 °C. La pulvérisation se fait donc plutôt le matin. La destruction est pratiquement complète au bout d'un mois, et le sol peut alors être travaillé efficacement.

La préparation de la plantation

Après avoir été désherbé, le sol doit être préparé pour accueillir les plantes. Il faut tout d'abord l'ameublir en le bêchant sur 40 cm de profondeur à la main ou au motoculteur. Il est important qu'il soit bien ressuyé, car, en travaillant un sol gorgé d'eau, on obtient, le plus souvent, un « ciment » imperméable.

La qualité du désherbage préalable revêt aussi une importance primordiale. Si l'on passe une motobineuse dans un sol mal désherbé, les houes de la machine fractionnent les racines des mauvaises herbes en créant des boutures. Le terrain peu infesté devient incultivable.

À ce stade de la préparation, on procède à tous les travaux destinés à offrir aux plantes vivaces les conditions les plus favorables à leur développement harmonieux, ceux qui leur permettront aussi de résister sans peine aux hivers, en favorisant l'aoûtement de leur souche ou de leurs rameaux. C'est à ce moment, donc, que l'on met au point le ou les systèmes de drainage et que l'on effectue les amendements.

Les plantes vivaces de soleil ont une préférence pour les sols bien drainés et la plupart craignent l'excès d'humidité hivernale. Certaines apprécient les sols riches et bien fumés, restant frais, tandis que d'autres aiment les terres très caillouteuses, les milieux poreux, mais où l'humidité ne fait pas forcément défaut. On les cultive en pleine lumière, car l'ombre les fait s'étioler ou réduit très sensiblement leur floraison. Le respect scrupuleux de leurs besoins garantit toujours leur bonne santé.

Le drainage

L'eau n'est à craindre que si elle est présente en grosse quantité dans un sol lourd et compact, asphyxiant et collant. Même des plantes de terrain très frais redoutent ces terres trempées qui se durcissent et se craquèlent au soleil. Dans un terrain caillouteux et aéré, la présence de l'eau n'a pas les mêmes conséquenes et favorise la culture de nombreuses espèces.

Encore faut-il savoir si tout le jardin est soumis à un excès d'eau, ou seulement une partie et si le terrain est en pente ou plat. Poser des drains dans un jardin est en effet un gros travail et, s'il n'y a pas de pente pour évacuer l'excès d'eau, les drains seront d'une parfaite inefficacité.

Une solution élégante consiste à creuser dans le point le plus bas du jardin, ou s'il est plat, à l'endroit le plus pratique, un petit bassin qui collectera naturellement l'eau en surplus. Ce bassin, qui peut aussi être une tourbière, donnera un attrait supplémentaire au jardin, par les plantes qu'il pourra accueillir.

Les amendements

Au moment du bêchage de la plate-bande, il est d'usage d'effectuer les divers apports nécessaires, car les plantations doivent rester plusieurs années en place.

Un sol très lourd et compact peut être sensiblement amélioré par un apport de tourbe blonde mélangée à du gravier. Si le sol est très acide, il sera bon d'incorporer du calcaire broyé. C'est l'opération du chaulage, qui s'effectue tous les trois ans environ, selon l'acidité du sol. Un sol léger et sableux ou léger et calcaire demande également des apports de tourbe blonde afin de conserver l'eau, mais exige surtout l'incorporation de fumier bien décomposé qui lui donnera du corps et le rendra fertile. Un sol lourd et calcaire bénéficiera aussi d'un apport de tourbe blonde qui lui donnera une bonne porosité. Généralement, ces sols sont riches en sels minéraux et n'ont pas besoin de fumier. Un sol léger et noir, agréable à travailler, se verra également enrichi par un apport de fumier, plus ou moins riche suivant sa fertilité.

La biologie des sols est fragile et extrêmement complexe, les analyses chimiques n'expliquent pas tout et les interactions qui se produisent dans la terre entre minéral, végétal et animal sont encore bien souvent obscures. Il est certain cependant qu'un sol, pour être fertile et équilibré, doit être vivant. Or, l'apport de matières organiques enrichit le sol de fibres, l'aère et permet un excellent développement des plantes. Les engrais chimiques, souvent employés en excès, entraînent une salinité importante du sol. Les racines des plantes ne tardent pas à en souffrir. De plus, en fournissant aux plantes une nourriture abondante et disponible immédiatement, ces engrais augmentent, certes, leur vigueur et leur croissance, mais ils les fragilisent et les rendent vulnérables, diminuant considérablement leur résistance aux maladies et ravageurs. C'est la raison pour laquelle il convient de les employer avec beaucoup de précautions et d'en respecter les dosages.

Une autre précaution indispensable concernant la fertilisation des sols, consiste à ne jamais incorporer un matériau organique non décomposé dans le sol. Les feuilles mortes, écorces diverses, épluchures de légumes, tontes de gazon ne doivent être introduits que lorsqu'elles sont totalement transformées en terreau après compostage.

Le surfaçage

Dès que la terre est nue et propre, il ne faut que peu de temps à la nature pour reconquérir cet espace vide. Ce sont d'abord les plantes adventices annuelles qui occupent le terrain, puis viennent les vivaces, suivies des arbustes et des arbres. C'est ainsi qu'une terre abandonnée retournera, à plus ou moins long terme selon sa fertilité, à l'état de forêt.

Le surfaçage, encore appelé « paillage » — car autrefois on utilisait de la paille, notamment pour les plants de fraisiers-, a essentiellement pour but d'empêcher ou, du moins, de retarder la croissance des mauvaises herbes, en interposant un matériau non fertile entre l'air et la terre. Cette technique revêt d'autres avantages. Sur un sol lourd, elle empêche la pluie de damer et de tasser le sol en surface, économisant l'opération du binage. Sur un sol léger, elle retient l'humidité en surface et limite l'évaporation par temps chaud. Le surfaçage peut être constitué de divers matériaux :

▷ la paille, qui ne protège pas le sol bien longtemps. De plus, utilisée en forte épaisseur, elle l'étouffe ;
▷ le plastique noir, de plus en plus utilisé par les collectivités pour la plantation d'arbres et d'arbustes, n'est pas à recommander pour la plantation des vivaces qui, souvent, s'étalent en touffes et se trouvent vite gênées par l'obstacle qu'il constitue ;
▷ l'écorce de pin, qui est également de plus en plus utilisée, mais elle ne fait pas l'unanimité. L'écorce de certaines essences contiendrait des tanins toxiques qui se trouveraient libérés par le lessivage des pluies et risqueraient d'entraîner, à la longue, plus d'inconvénients que d'avantages. De plus, ce matériau a tendance à acidifier le sol. Dans une terre calcaire, cela n'est pas trop gênant, mais en sol acide, les répercussions peuvent être graves sur certaines plantations. L'utilisation d'écorce de pin doit donc être menée avec circonspection et il ne faut jamais incorporer des écorces fraîches dans le sol ;
▷ les graviers. Les plantes de soleil apprécient, pour la plupart, les sols drainés. Elles trouveront dans ce

Le gravier répandu en surface au sol protège bien le collet des plantes contre l'humidité hivernale.

matériau stable, n'entraînant aucune pertubation du sol, un milieu poreux qui favorisera leur croissance et assurera leur pérennité dans les régions aux hivers humides. Les graviers ne gênent en effet pas la croissance des plantes et limitent assez bien l'apparition des mauvaises herbes.

L'achat des plantes vivaces

Les plantes vivaces étaient autrefois commercialisées, de l'automne jusqu'au début du printemps, en racines nues ou en petites mottes. Elles étaient cultivées en pleine terre comme les arbres et les arbustes. Certaines d'entre elles, aux souches robustes, trouvaient dans la pleine terre de quoi développer leurs abondantes racines et fournissaient à la vente de très belles touffes. Mais, une fois passé le débourrement des bourgeons, elles ne pouvaient plus être vendues. Les méthodes de production ont changé, mais aussi les habitudes d'achat. On ne trouve plus désormais que des plantes vivaces vendues en godets de matière plastique. Seules les plantes à souche rhizomateuse comme les iris, pivoines, *Eremurus* font exception à cette mode.

Lorsque ces plantes sont développées, on peut juger de leur qualité et de leur vigueur, ainsi que de leur aspect, mais, l'automne venu, lorsque les plantes concentrent leur vie dans les racines et les bourgeons souterrains, il est bien difficile de se faire une idée de l'aspect des végétaux à la vue de godets où seule la terre est apparente. Pourtant, il vaut mieux installer les vivaces à l'automne dans les régions clémentes et partout où les terres sont sèches et légères : elles bénéficient ainsi des pluies automnales, ce qui évite les arrosages indispensables lors de la plantation de printemps. Pour s'assurer de la qualité des plantes, il est possible de dépoter les mottes de leurs godets. La présence de racines, abondantes et sans trace de parasites ou de pourriture, garantit la santé des plantes en dormance. Au retour des beaux jours, elles s'épanouiront.

La plantation

La plantation des vivaces doit être faite au transplantoir, après avoir extrait la motte du godet qui la contient. La motte ne doit ni sortir de terre ni être trop enterrée. Il faut qu'elle arrive juste à la surface du sol. Après la plantation, il convient de tasser la terre et d'arroser.

Les distances de plantation données à titre indicatif pour chaque espèce sont fonction de la hauteur des plantes, mais aussi des moyens de chacun et de son désir de voir les plantes occuper très vite une surface ou, au contraire, d'avoir des plantations espacées.

Cette distance de plantation est également liée à la forme des sujets. Des plantes tapissantes ou qui forment des touffes buissonnantes devront être plus espacées, au moment de la plantation, que des plantes érigées ou en touffes hérissées. Il convient, à ce propos, de souligner que le feuillage et la silhouette des plantes ont une très grande importance pour structurer harmonieusement un massif, autant, sinon plus, que la couleur des fleurs.

L'entretien des plantes vivaces

Le secret de la réussite de la culture des plantes vivaces réside surtout dans une bonne connaissance du sol et dans la préparation de celui-ci avant la plantation. Après, elles ne requièrent que peu d'entretien. Cependant, les plus voraces d'entre elles s'épuisent assez vite, et l'on profitera de la division de leurs souches pour remanier le sol et lui apporter la fumure nécessaire. Lorsque les plantes vivaces sont installées dans un sol qui leur convient, elles sont rarement malades et offrent une excellente résistance aux ravageurs. Il faut noter que les espèces sauvages sont, dans l'ensemble, plus résistantes et beaucoup moins gourmandes que les formes améliorées par l'homme, sans doute plus florifères, mais aussi plus fragiles.

Lorsqu'on ne récolte pas les graines, il convient de rabattre les hampes florales dès la fin de la floraison. Pour de nombreuses espèces printanières, cela provoque souvent une remontée des fleurs en fin d'été qui, si elle n'a pas l'éclat de la première floraison, sera tout de même la bienvenue.

En fin d'automne, il est recommandé de rabattre les tiges jusqu'au sol pour les espèces non persistantes et de laisser les débris végétaux sur le sol. Ils se décomposeront lentement durant l'hiver, en formant l'humus indispensable.

En fin d'hiver, on apporte généralement une fumure entre les souches des plantes les plus gourmandes. On l'incorpore au sol par un léger griffage, en faisant attention de ne pas abîmer les bourgeons en dormance sous la surface du sol.

Avant de planter, disposer les godets sur le sol pour évaluer la distance de plantation.

La suppression des fleurs fanées provoque souvent une remontée de la floraison en arrière-saison.

LA MULTIPLICATION DES PLANTES VIVACES

Le mode de multiplication des plantes vivaces varie selon les espèces. Pour les vivaces dont la vie est brève, on recourt généralement au semis. Le bouturage permet d'obtenir un grand nombre de plantes mais nécessite quelque doigté. Dans la plupart des cas, il suffit simplement de diviser les souches pour obtenir de nouvelles plantes pleines de vigueur ou rajeunir les plus anciennes.

Dans certains cas, il n'y a pas d'autre solution que de tirer parti du semis, qui est le moyen naturel de propagation des plantes par les graines. Les espèces à la vie brève, par exemple, ne produisent pas d'organes végétatifs qui permettent de les multiplier. Par ailleurs, le semis présente l'avantage de produire un grand nombre de plants.

Le semis : récolte et stockage des graines

Les graines et les fruits doivent être récoltés lorsqu'ils montrent des signes certains de maturité : un changement de couleur ou des enveloppes qui sèchent et commencent à s'ouvrir. On peut alors récolter les graines directement sur place ou couper

LE SEMIS

1. Emplir une caissette d'un substrat composé pour moitié de tourbe blonde et de sable grossier.

2. Tasser le substrat à l'aide d'une planchette pour éliminer les poches d'air.

3. Semer en répartissant bien les graines à la surface.

4. Recouvrir les graines d'une fine couche de terreau tamisé qui n'excédera pas leur épaisseur.

5. Immerger la caissette dans un bac contenant de l'eau et étiqueter la culture.

6. recouvrir la caissette d'un couvercle transparent et l'entreposer dans un endroit mi ombragé.

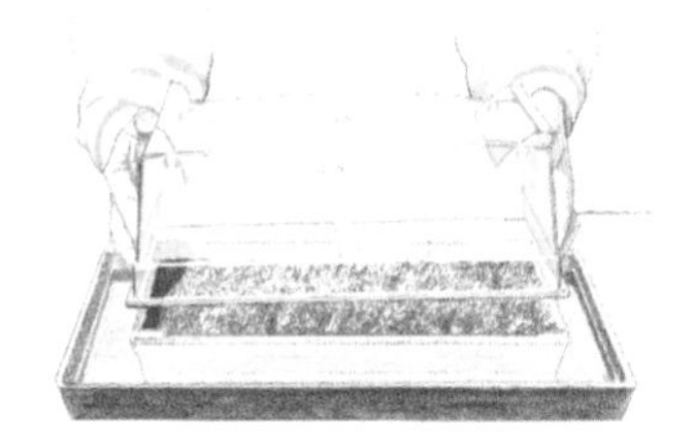

les réceptacles qui les contiennent, s'ils ne sont pas arrivés à complète maturité. Une bonne solution pour les conserver consiste à stocker les graines ou les bractées les contenant dans des sacs de papier. Il convient ensuite de garder les graines dans un endroit sec et frais jusqu'au moment du semis.

Les graines de certaines plantes perdent leur pouvoir germinatif en quelques mois, parfois quelques semaines. Celles-ci devront être semées dès la récolte. C'est le cas de nombreuses espèces de fougères, dont les spores ne tolèrent pas la moindre sécheresse lorsqu'elles sont mûres. Pour certaines plantes de milieu humide, comme le lysichitum, il est préférable également de semer aussitôt après la récolte.

La vernalisation des graines

Certaines graines de plantes vivaces ont besoin, pour germer, d'une période froide. Le gel permet, en effet, de lever des « blocages », à l'intérieur même de la graine, et favorise la germination ultérieure, lorsque la température redevient clémente.

De nombreuses espèces de la famille des Renonculacées entrent dans cette catégorie. Ainsi en est-il pour la rose de Noël, *Helleborus niger*, pour laquelle les échecs de semis sont nombreux. Or, il suffit de semer les graines dès leur maturité en juillet. Elles subiront une période chaude en milieu humide durant l'été, puis une période froide durant l'hiver et verront leur germination assurée au printemps suivant. La température hivernale peut descendre jusqu'à – 6 ou – 7 °C.

Il est indispensable cependant que les variations thermiques soient très progressives. Un gel brutal n'aurait d'autre effet que de faire éclater les téguments des graines et compromettrait définitivement tout espoir de réussite. Pour les pivoines, il importe également de faire preuve de patience. La germination demande deux ans et parfois plus. Il ne faut donc jamais jeter un semis n'ayant pas germé car, pour bien des plantes vivaces, la levée peut être très longue.

La multiplication végétative

Dans de nombreux cas, la multiplication végétative est la méthode de multiplication la plus facile, et aussi la seule pour maintenir et accroître un stock de plantes. Quelques hybrides, par exemple, sont stériles, ou lorsqu'ils sont fertiles, ils ne donnent pas par le semis, les résultats escomptés. En effet, de nombreuses espèces s'hybrident naturellement par pollinisation avec d'autres espèces apparentées qui les côtoient. Ce problème se rencontre fréquemment dans les collections où de nombreux membres d'un même genre sont cultivés côte à côte.

La division des plantes vivaces

La division des souches est sans aucun doute le moyen le plus simple, le plus facile à réussir et aussi le plus agréable d'accroître une collection de plantes vivaces ou de la maintenir en bonne santé. Cette méthode ne requiert pas de connaissances techniques particulières. C'est pourquoi on l'utilisera de

LA DIVISION DES SOUCHES

1. Déterrer la souche à l'aide d'une fourche-bêche pour éviter de détruire les racines.

2. Eliminer la terre contenue entre les racines pour bien voir les zones naturelles de clivage.

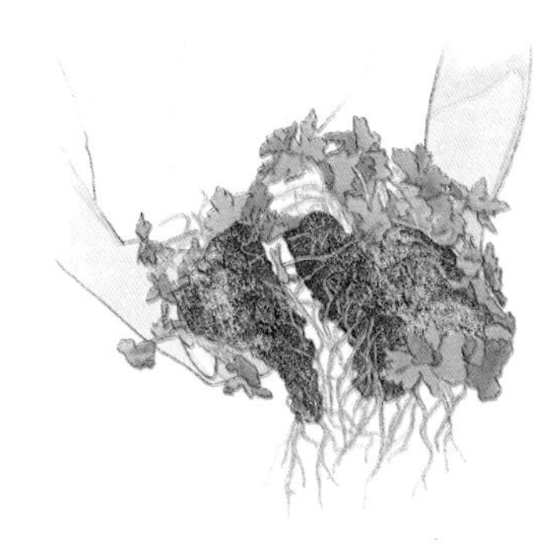

3. Séparer les tronçons en veillant à ce que chacun d'eux possède des bourgeons et des racines bien formés.

4. Si les racines sont emmêlées, utiliser une lame tranchante. Ne conserver que les éclats possédant de 1 à 3 bourgeons.

5. Replanter les éclats en pleine terre aussitôt après la division.

6. Arroser la plantation quelles que soient les conditions atmosphériques.

Les delphiniums, comme quelques autres plantes vivaces très florifères, nécessitent un rajeunissement régulier.

préférence à toute autre pour rajeunir les espèces qui vieillissent mal. Les signes de vieillissement sont les suivants : la souche se creuse au centre, elle se lignifie, devient dure, la plante ne survit que par l'émission, de plus en plus difficile, de bourgeons latéraux. Cette dégénérescence guette le plus souvent les espèces les plus florifères : delphiniums, lupins, héliopsis, phlox. Pour toutes ces plantes, souvent gourmandes, une division des souches, tous les 3 ou 4 ans, donne l'occasion d'introduire du fumier organique bien décomposé dans le sol et la possibilité de remodeler un massif.

L'expérience montre que dans les régions chaudes ou en sol léger, il vaut mieux diviser les plantes vivaces à l'automne. A cette époque de l'année, les plantes bénéficient des pluies et de la fraîcheur pour bien s'enraciner avant l'hiver. Il n'est alors pas nécessaire de procéder à de nombreux et fastidieux arrosages.

Le printemps est la meilleure saison pour diviser les vivaces dans un sol lourd et humide, ainsi que dans les régions aux hivers rigoureux. On évite alors la pourriture des racines qui pourrait se produire, durant l'hiver, dans un sol compact et froid. En divisant au printemps, la plante a tout l'été pour émettre de nombreuses radicelles et s'installer dans son nouveau territoire.

La séparation des stolons

Quelques plantes comme *Hypericum calycinum*, par exemple, émettent des stolons ou des rosettes bien enracinés qui peuvent être facilement séparés du pied mère sans qu'il soit nécessaire de le déraciner.

LE BOUTURAGE

1. Prélever à l'aide d'un sécateur propre des tiges saines présentant un feuillage sans défaut.

2. Couper des boutures de 10 cm de long, à environ 1 cm en dessous d'un œil.

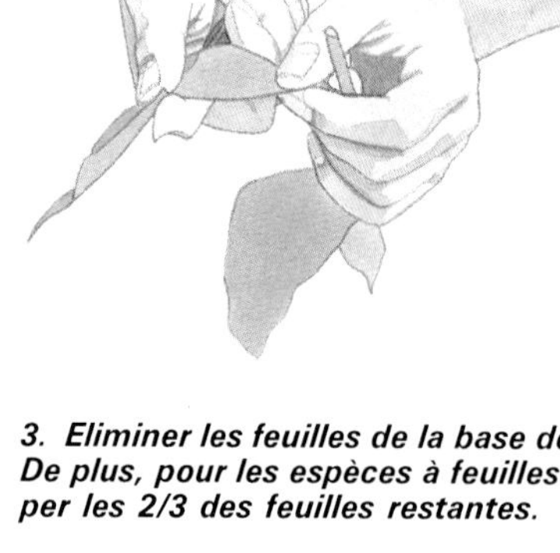

3. Eliminer les feuilles de la base de la bouture. De plus, pour les espèces à feuilles larges, couper les 2/3 des feuilles restantes.

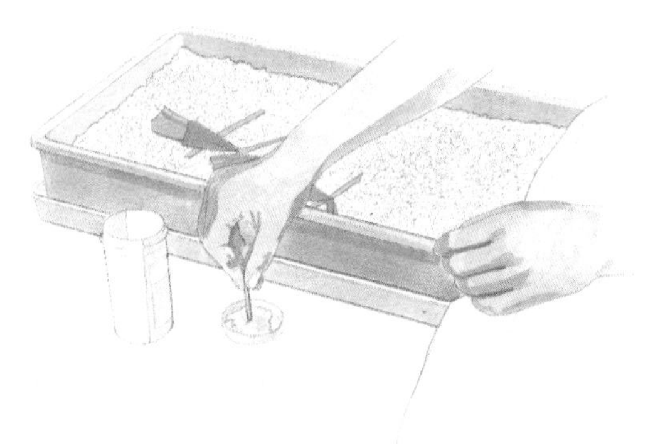

4. Tremper la base de la bouture dans une poudre contenant des hormones d'enracinement.

5. Emplir le bac d'une serre, d'un mélange de 3/4 de sable et de 1/4 de terreau sur 6 à 7 cm d'épaisseur. Enfoncer les boutures de 3 à 4 cm. Tasser légèrement, humidifier.

Le bouturage

A l'instar des arbres et des arbustes, quelques plantes vivaces peuvent également être bouturées.

On distingue plusieurs types de bouturage suivant l'époque concerné. Mais, quel que soit le mode de bouturage choisi, les boutures doivent être prélevées de la plante mère avec un outil tranchant et parfaitement propre. Il convient, par ailleurs, de couper la bouture quelques centimètres plus long que nécessaire. Une dizaine de centimètres est suffisante dans la plupart des cas.

Les boutures vertes

On prélève les boutures vertes lorsque la plante est entrée en végétation.

Dès leur prélèvement, les boutures sont installées dans un petit sac en plastique, de façon à assurer leur conservation pendant les quelques heures qui suffiront à les préparer. En règle générale, les boutures vertes sont prélevées sur les pousses latérales vigoureuses des plantes et, pour les plantes à floraison printanière, juste après la floraison.

Il est important de prélever des boutures sur des plantes jeunes et vigoureuses, car le stade de développement de la plante ainsi que son état général ont une influence certaine sur le potentiel d'enracinement des boutures. Les plantes produisent des hormones de croissance à des stades ponctuels de leur développement et les boutures prélevées à ces périodes ont toutes les chances de bien s'enraciner. Malheureusement, ces périodes optimales varient considérablement selon les genres et les espèces et sont fonction des périodes de floraison. Néanmoins, les hormones d'enracinement que l'on trouve dans le commerce aideront bien la nature, et se révéleront utiles surtout pour les boutures vertes qui, pour réussir, doivent s'enraciner rapidement. Les meilleures dates pour les boutures en vert sont indiquées dans le *Guide des plantes vivaces de lumière* pour chaque plante concernée.

Les boutures de racines

Quelques plantes vivaces ont des racines capables d'émettre des bourgeons, et cela de façon parfois spontanée. Le bouturage de racines consiste donc à provoquer l'émission de bourgeons sur les racines qui en ont la possibilité. Cette opération demande une certaine habileté technique ainsi qu'une bonne connaissance des végétaux auxquels elle s'applique, ceux-ci pouvant très bien, par ailleurs, se multiplier par division des souches. On y recourt donc uniquement lorsque l'on doit produire une importante quantité de plantes. Toutefois, dans le *Guide des plantes vivaces de lumière*, on mentionne les plantes qui peuvent se multiplier de cette façon.

Le bouturage d'automne

Cette technique, souvent appliquée pour les arbres et arbustes, peut également convenir à quelques plantes vivaces telles *Pachysandra, Lamium, Phlox divaricata, Vinca*. Cette méthode de bouturage présente l'avantage de ne demander pratiquement aucune surveillance. De plus, elle peut être réalisée dans un coin ombragé du jardin, en pleine terre mélangée avec du sable, et ne nécessite qu'un petit abri constitué d'un châssis ou d'un bâche en plastique transparent.

Les boutures doivent être préparées comme pour le bouturage en vert, mais les hormones d'enracinement ne sont pas nécessaires à cette époque. Les boutures s'enracinent lentement et donnent, en général, des plantes solides et bien enracinées, qui seront repiquées dans le jardin au printemps.

Le contrôle de l'enracinement des boutures

Il n'est jamais aisé de savoir si des boutures sont enracinées ou non, car le temps qu'elles prennent pour s'enraciner est très variable selon les espèces : de quelques dizaines de jours à plusieurs mois. Lorsque le bouturage est effectué correctement, la plupart des espèces s'enracinent en 2 à 3 semaines.

Pour savoir si les boutures s'enracinent, il faut périodiquement tirer légèrement dessus. Si elles offrent de la résistance, c'est le signe que l'enracinement est commencé. Si l'on a trop enterré les boutures, elles peuvent laisser croire, en offrant une certaine résistance, que l'enracinement est déjà commencé alors qu'il n'en est rien !

Si le contrôle indique que les boutures sont enracinées, déterrer avec précaution l'une d'entre elles pour examiner la qualité des racines. Si elles sont abondantes et bien ramifiées, il convient de procéder à la transplantation du lot complet de la même espèce. Si les racines sont encore fines, repiquer la bouture qui a servi de test et attendre quelques jours de plus.

Le repiquage

Généralement, on installe les plantules dans une petite pépinière légèrement ombragée, en pleine terre. On les protège par un châssis durant la nuit. Elles sont ainsi endurcies progressivemnt jusqu'à leur transplantation dans le jardin.

Pour leur part, les plantes issues de semis ont besoin d'un repiquage dans des conditions contrôlées. Les plantules doivent impérativement être empotées dans des godets ou des pots de 7 à 10 cm de diamètre lorsqu'elles ont de 2 à 4 feuilles bien formées. Ces godets devront présenter des trous de drainage pour éviter tout excès d'eau. Il convient d'emplir les godets d'un substrat plus riche que celui des caissettes de semis. Dans la plupart des cas, un terreau de rempotage, utilisé tel quel, suffit.

Après le rempotage, les plantes doivent être arrosées à l'aide d'un arrosoir muni d'une pomme fine, puis installées à mi-ombre, sous un châssis vitré. L'humidité doit faire l'objet de contrôles quotidiens, de même que l'aération.

Les plantes seront ensuite progressivement endurcies, en laissant le châssis ouvert durant la journée, puis installées dans le jardin lorsqu'elles seront bien développées. Cette phase peut se révéler longue pour certaines espèces de croissance lente, alors que d'autres seront mises en place 1 à 2 mois après le repiquage.

LES PLANTES VIVACES AU JARDIN

Les plantes vivaces sont essentielles dans le jardin, tant pour leur beauté, leur élégance et leur diversité que pour leurs facultés d'adaptation. On peut cultiver des vivaces par goût, mais aussi par nécessité car elles sont irremplaçables en certains lieux. Dans les massifs, par exemple, où leur forme, leur feuillage, leur magnifique floraison font merveille.

On distingue, parmi les massifs, les plates-bandes, parterres fleuris de forme assez stricte, et les mixed-borders, d'allure plus libre. Les plantes vivaces y trouvent toujours une place de choix et y accompagnent d'autre végétaux, tels les arbres, les arbustes, les plantes bulbeuses ou les annuelles.

La plate-bande

La plate-bande, encore très prisée en France, consiste à juxtaposer le plus grand nombre possible de plantes fleuries, à l'image des parterres de certaines expositions. Ces parterres, pour lumineux et fleuris qu'ils soient, ne sauraient être transplantés tels quels dans un jardin, ne serait-ce qu'en raison de leur coût prohibitif et de l'entretien qu'ils induisent.

La plate-bande est un élément stable, c'est-à-dire que les plantes y sont généralement installées à demeure. Cette façon de procéder, moins coûteuse, requiert aussi moins de travail. Il est donc possible à chacun d'installer de tels massifs.

Les plates-bandes fleuries essentiellement composées de fleurs annuelles demandent beaucoup d'entretien.

La mixed-border

La principale époque de floraison des plantes vivaces est comprise entre mai et août, avec, parfois, une remontée en septembre. En dehors de ces périodes, l'absence de fleurs, peu gênante dans un grand jardin qui offre d'autres centres d'intérêt, se

Mixed-border accueillant des plantes vivaces, des arbustes, des conifères et des bulbeuses.

fait cruellement remarquer dans un jardin de modestes dimensions. C'est la raison pour laquelle la notion de plate-bande a progressivement évolué, depuis la fin du XIXe siècle, vers un « condensé » de jardin. La plante-bande comprend désormais des vivaces, mais aussi des conifères, des arbustes et des plantes bulbeuses. Elle peut également être émaillée de plantes annuelles. L'intérêt est ainsi maintenu tout au long de l'année par un choix judicieux des espèces. On peut jouer avec leurs silhouettes et leurs feuillages, ou encore avec certaines écorces, très décoratives, d'arbustes.

Ce savant mélange, d'origine anglo-saxonne, fut baptisé *mixed-border*, littéralement bordure mélangée, nom qu'il a conservé en France. Les compositions autorisées par cette formule varient à l'infini, compte tenu de l'exposition, de la nature du sol et des goûts de chacun.

La multiplicité des paramètres entrant en ligne de compte pour l'élaboration d'une mixed-border fait qu'il n'en existe pas d'idéale, dont chacun pourrait s'inspirer. En revanche, quelques lois simples concernant les couleurs, les silhouettes, les feuillages régissent l'établissement de telles plates-bandes.

L'utilisation des couleurs

Si on ne peut transposer avec exactitude la nature d'un paysage dans un jardin, espace par définition artificiel, on peut toutefois recréer l'impression qui s'en dégage. Certaines espèces se marient naturellement, avec bonheur. Ainsi des armoises, des lavandes, des népétas s'harmoniseront bien, dans un jardin sec et ensoleillé, avec des sauges, des hélianthèmes ou des arbustes tels le pérovskia, l'oléaria ou le romarin. De même, dans un terrain frais et à demi-ombragé, des primevères du Japon, des astilbes, des hostas côtoieront avec élégance fougères, azalées et rhododendrons. Mais on peut aller plus loin et créer de subtiles harmonies de couleurs entre les plantes.

On distingue, parmi ces harmonies, quatre tendances :

▷ la monochromie, qui consiste à n'utiliser qu'une seule couleur ;

▷ le camaïeu, pour lequel on décline toutes les variantes d'une même couleur ;

▷ l'association harmonieuse, qui joue sur l'effet de contraste ou de complémentarité — rose et blanc ou bleu et jaune ;

▷ la polychromie, qui n'est guère recommandée, car elle donne un effet absolument anti-naturel. De plus, certaines associations de couleurs sont franchement désagréables à l'œil.

Les couleurs doivent aussi s'harmoniser au lieu et à la saison de culture. Les couleurs tendres, les tons pastels, s'accordent bien aux lumières douces des ciels nordiques et brumeux, ainsi qu'à la lumière printanière ou automnale, tandis que les couleurs fortes ressortent mieux sous un soleil vif, en été, ainsi que dans les régions méridionales.

Un jardin blanc : **Phlox paniculata** *et* **Lysimachia clethroides** *accompagnent des œillets, des armoises, des achillées.*

L'utilisation des silhouettes et des feuillages

Les feuillages, par leurs formes, leurs coloris, sont le lien indispensable d'une mixed-border réussie. On les intercale entre les masses de plantes fleuries. On les cultive parfois à cette seule fin, comme par exemple les fougères pour les massifs ombragés, ou les armoises pour les plates-bandes ensoleillées. Mais souvent, ils appartiennent à des plantes portant une jolie floraison à une autre saison. La disposition du feuillage se fera naturellement, si l'on songe à répartir sur toute la longueur de la mixed-border les plantes fleurissant à la même saison.

L'harmonie des couleurs et une bonne répartition des périodes de floraison doivent se conjuguer avec l'harmonie des formes.

La silhouette des plantes, en effet, revêt une très grande importance pour la structure d'un massif. L'attention doit porter sur trois points : la silhouette générale des végétaux, leur opacité et la forme des fleurs. Il faut éviter d'associer des plantes de silhouette comparable, par exemple des delphiniums avec des aconits, car, cette fois encore, ce sont les contrastes qui créent la variété. Ainsi, des plantes élancées seront associées à des plantes trapues : le delphinium avec le géranium par exemple. Les plantes à port flou voisineront bien avec les plantes à port strict, par exemple *Gypsophila paniculata* avec *Eremurus*.

Le contraste devra également exister dans la densité relative des végétaux, leur « transparence ». Des végétaux épais serviront de fond à des végétaux aériens, qui, eux-mêmes, allégeront une plante massive. Ainsi verra-t-on des lis parmi des hostas.

La forme des fleurs ou des inflorescences doit se plier à cette même règle. On évitera ainsi d'associer des végétaux fleurissant à la même époque et présentant de trop grandes analogies comme, par exemple, les alstroemères et les hémérocalles, ou encore les agapanthes et les alliums, sauf si ces plantes présentent des ports ou des hauteurs très différents. *Rudbeckia fulgida*, aux fleurs étoilées, pourra très bien voisiner avec les asters, car la disposition des fleurs sur la plante, même si ces dernières se ressemblent, est tout à fait différente.

LES SILHOUETTES ET LES FORMES

Cette page a été conçue pour aider l'amateur à choisir ses plantes vivaces en fonction de leurs formes et des silhouettes qu'elles présentent. Mais il est bien évident que chaque espèce possède des caractéristiques qui lui sont propres, et les huit formes décrites sont approximatives. Certaines plantes rentrent bien dans ce cadre, d'autres ont des silhouettes si particulières qu'il est bien difficile de les faire entrer dans une catégorie plutôt que dans une autre. En tête de chaque genre décrit dans cet ouvrage sont indiquées les silhouettes générales qu'affectent les espèces. Ces silhouettes sont données sans considération de hauteur. Il appartiendra à chacun de se référer aux dimensions des plantes données dans le texte pour chaque espèce. Les formes sont numérotées de S1 à S8.

Lorsque deux chiffres figurent l'un à côté de l'autre, par exemple, S3, S6, cela signifie que la plante possède bien une touffe en rosette, c'est-à-dire que les feuilles sont groupées sur la souche (S3), mais que sa silhouette générale présente l'aspect d'une touffe arrondie et globuleuse(S6).

S1 Plante tapissante s'étalant sur le sol
S2 Plante en coussin
S3 Plante en rosette ou en touffe de rosettes feuillues groupées sur la souche
S4 Plante en touffe étalée, dont les épis ou les hampes florales sont redressés sur la souche
S5 Touffe buissonnante
S6 Touffe arrondie, globuleuse, s'élargissant lorsqu'il s'agit de plantes rhizomateuses
S7 Touffe dressée et élancée
S8 Touffe hérissée

Les dallages fleuris

Dans une cour, un patio ou devant une demeure, la présence d'un dallage est souvent indispensable. Le dallage présente, en effet, de multiples avantages. Il crée une suface dégagée, facilement nettoyable, où la circulation est aisée. C'est la raison pour laquelle une petite surface dallée, de 10 m² ou moins, agrémente avec charme les espaces jardinés. Une plus grande surface engendrerait vite la monotonie si elle n'était agrémentée de poteries et de bacs donnant l'occasion de cultiver quelques plantes fragiles, installées sous abri durant l'hiver.

Mais on peut également faire « vivre » un dallage en laissant, de place en place, quelques « poches » de terre qui permettent la culture de nombreuses plantes, en particulier des vivaces. Ces poches de terre, en brisant la rectitude des dalles, rompent la monotonie tout en apportant une note naturelle au décor.

Pour la culture des plantes vivaces, il n'est pas nécessaire d'aménager de grandes poches. Certaines d'entre elles se satisferont de quelques anfractuosités entre les dalles, à condition, bien sûr, que ces fissures ne soient pas cimentées, pour que les racines des plantes puisent la nourriture qui leur est nécessaire sous le dallage. Il ne faut pas craindre que les racines des plantes vivaces fissurent ou soulèvent le dallage comme pourraient le faire les racines d'arbres, elles n'en ont pas la force.

Les plantes vivaces en coussin conviennent le mieux à l'utilisation en dallage. Le choix des espèces dépend du milieu de culture proposé.

Un dallage aux allures strictes sera adouci par quelques plantes vivaces en coussin bien choisies.

Des vivaces pour tous les milieux

Il n'est pas rare, dans les jardins, de voir des hostas côtoyer des armoises ou encore des primevères du Japon voisiner avec des sauges officinales.

De telles associations, si elles peuvent paraître esthétiques, n'en relèvent pas moins d'un non-sens, car ces plantes ont des besoins tout à fait opposés. Seules des plantes ayant des besoins identiques doivent être associées, et un jardinier ou un paysagiste respectera cette règle à moins de chercher inutilement la difficulté. Il ne s'agit pas de prendre en défaut l'aspect esthétique des cultures, bien au contraire. Le mariage de plantes éclatantes de santé, n'occasionnant qu'un travail minimal, vaut bien certaines curieuses associations qui ne prennent en compte que la couleur des fleurs, au mépris des besoins fondamentaux des plantes.

Pour mieux associer les plantes vivaces de soleil entre elles, on trouvera ici une description des milieux où elles peuvent prospérer ensemble.

La lisière de bois

De nombreuses constructions ont été édifiées sur des parcelles obtenues par dégagement d'espaces boisés. Un jardin situé en lisière de bois pourra accueillir de nombreuses plantes vivaces, surtout si la forêt est située au nord du jardin, laissant un espace très ensoleillé, et offrant une bonne protection contre les vents froids venus du nord. Si le sol est sec, les espèces suivantes trouveront leur place : *Acanthus, Achillea, Adenophora, Agastache, Althaea, Artemisia, Campanula, Centaurea, Cephalaria, Chrysanthemum, Dianthus, Echinops, Euphorbia, Geranium, Incarvillea, Inula, Lavatera, Malva, Penstemon, Phuopsis, Potentilla, Rudbeckia, Stachys.*

Une lisière de bois sèche et ensoleillée permet la culture de nombreuses espèces de terrain sec.

L'espace rocheux

On entend par espace rocheux un sol où une faible couche de terre recouvre la roche sous-jacente. On rencontre souvent ce type de sol en montagne, mais aussi dans des régions de plaines autrefois montagneuses, comme la Bretagne, ou en d'autres endroits où la roche affleure.

Cette expression désigne aussi tout endroit situé près d'une maison où le béton se trouve très peu enterré ou encore une terrasse recouverte d'une faible couche de terre, voire le pied d'un muret. Si la couche de terre est peu épaisse, et mesure moins de 15 cm, mieux vaut recourir aux plantes alpines ou bulbeuses. En revanche, si les poches de terre sont suffisamment profondes (30 cm et plus), sèches et bien ensoleillées, on peut envisager la plantation des espèces suivantes : *Arenaria grandiflora, Artemisia schmidtiana, Campanula carpatica, Delphinium grandiflorum, Dracocephalum ruyschiana, Geranium cinereum* et *dalmaticum, Hypericum polyphyllum, Inula ensifolia, Lychnis alpina, Papaver atlanticum, Sedum, Silene maritima et shafta, Stachys olympica* et aussi *Lavandula, Marrubium, Nepeta.*

Le sol pierreux

La composition chimique d'un tel sol est moins importante que sa texture et la quantité d'eau qu'il

Santoline et Oenothera missouriensis dans un sol pierreux et bien drainé, humide en profondeur.

Un sol sec et calcaire peut accueillir des plantes comme la lavande, le buis, la sauge officinale, le genévrier. Celles-ci prépareront le sol pour de nouvelles plantations.

peut receler. Certains sols très caillouteux possèdent une bonne profondeur et l'humidité de fond ne manque pas. Ces steppes rocailleuses très bien drainées sont courantes, par exemple, dans le midi de la France. Ce type de sol se rencontre également aux abords des constructions neuves, où les gravats ont été accumulés très près de la surface du sol, et juste recouverts d'un peu de terre. Ces sols très secs, s'ils sont bien ensoleillés, accueilleront de nombreuses plantes vivaces de soleil telles que: *Acanthus, Achillea, Adenophora, Anaphalis, Anthemis, Anthericum, Arenaria, Artemisia, Asphodeline, Asphodelus, Campanula carpatica, glomerata* et *pyramidalis, Catananche, Centaurea, Centranthus, Ceratostigma, Chrysanthemum, Coreopsis, Delphinium grandiflorum, pylzowianum* et *zalil, Dianthus, Dictamnus, Dracocephalum, Epilobium, Erigeron, Erodium, Eryngium, Euphorbia, Foeniculum, Geranium, Gypsophylla, Helleborus, Lavendula, Lavatera, Limonium, Linum, Lupinus arboreus, Marrubium, Morina, Nepeta, Œnothera, Origanum, Papaver, Penstemon, Phlomis, Potentilla, Ruta, Salvia, Santolina, Scabiosa, Silene, Stachys, Teucrium, Thermopsis, Verbascum, Verbena, Veronica, Zauschneria.*

Les sols sableux pauvres

Ce type de sol se rencontre souvent sur le littoral. Les Landes en sont un parfait exemple. Ces sols instables, lorsqu'ils sont alliés à l'argile ou à des limons, comme dans la vallée de la Loire, sont remarquablement équilibrés.

L'eau est très mal répartie dans de tels sols. Elle a tendance à descendre dans les creux, qui sont vite submergés, alors que, à quelques mètre de là, sur une bosse, les plantes manquent d'eau. Certaines espèces, cependant, se plaisent dans les terrains sableux et ensoleillés. Ce sont les *Antennaria, Artemisia, Euphorbia, Nepeta, Marrubium, Potentilla argentea, Veronica spicata*, ainsi que de nombreuses graminées.

Les sols secs et calcaires

Ces sols très maigres et pauvres sont courants partout où le calcaire affleure. L'humus qui les recouvre est très précieux, et il vaut mieux éviter les gros travaux de terrassement qui risquent de mettre à nu la roche calcaire. Il arrive que des maisons soient construites sur ces sols pauvres, souvent à flanc de coteau, mais aussi sur des terrains plats où les engins, en faisant leurs travaux de nivellement ont

Une plate bande dont le sol est bien drainé autorise la culture de la plupart des plantes vivaces de soleil, ici Salvia nemorosa, *potentille, penstemon, pavots, delphiniums.*

retiré la couche d'humus pour laisser place à un remblai composé de la terre rocheuse du sous-sol. De tels sols méritent des apports de matières organiques très importants. Mais le jardinier aura à sa disposition un choix de plantes vivaces qui acceptent les sols calcaires, pauvres et secs, bien ensoleillés. Elles permettent une occupation immédiate du sol, et rééquilibrent celui-ci lentement. Ce sont : *Anthericum, Aster sedifolius, laterifolius* et *linosyris, Catananche, Centaurea, Centranthus, Dictamnus, Digitalis grandiflora, Filipendula hexapetala, Inula ensifolia, Helenium orientalis, Iris barbata nana, Lavendula, Limonium, Linum, Origanum, Paeonia tenuifolia, Potentilla aurea, Rudbeckia subtomentosa, Salvia argentea* et *pratensis, Teucrium, Verbascum, Veronica.*

Les espaces libres et secs

Ces espaces se trouvent dans tous les jardins où la terre est très bien drainée et sèche l'été. On les rencontre en de nombreuses régions de France, notamment dans les vallées des grands fleuves. Leur structure est sablo-argileuse ou sablo-limoneuse. Ils se réchauffent vite, et, s'ils sont de couleur noire, contiennent une bonne quantité d'humus. En exposition ensoleillée, l'amateur dispose d'une grande quantité d'espèces, notamment : *Achillea, Adenophora, Agapanthus, Anaphalis, Anchusa, Anthemis, Artemisia, Asclepias , Asphodeline, Asphodelus, Aster, Campanula, Centaurea, Centranthus, Cephalaria, Ceratostigma, Chrysanthemum, Coreopsis, Dianthus, Dracocephalum, Echinops, Eryngium, Euphorbia, Filipendula, Foeniculum, Gaura, Geranium, Gypsophylla, Helianthus, Hypericum, Inula, Kitaibelia, Kniphofia, Lavatera, Liatris, Limonium, Lupinus arboreus, Lychnis, Malva, Melissa, Monarda, Morina, Nepeta, Origanun, Papaver, Penstemon, Phlomis, Prunella, Ruta, Salvia, Sanguisorba, Santolina, Sedum, Stachys, Teucrium, Verbascum, Verbena, Veronica, Zauschenería.*

La plate-bande drainée

Ce tour d'horizon des sols ensoleillés et secs ne saurait être complet sans la plate-bande drainée, qui est présente dans la plupart des jardins pourvus d'une terre dite « ordinaire », assez bien équilibrée, riche, suffisamment fraîche mais sans excès, durant l'hiver. Ces sols gardant une bonne fraîcheur durant l'été pourront accueillir la plupart des plantes décrites dans cet ouvrage.

Le guide des plantes vivaces de lumière

ACANTHUS

ACANTHE - ACANTHACÉES

L'acanthe est connue depuis la Haute Antiquité. Ses feuilles entrent dans la composition du style corinthien.

Il existe environ 20 espèces originaires d'Asie, d'Afrique et d'Europe, mais peu d'entre elles sont vraiment rustiques sous nos climats. Ces plantes vivaces, volumineuses, parfois sous-arbustives, possèdent des feuilles très découpées, au ras du sol et persistantes dans les régions à climat doux. Les fleurs s'épanouissent en épis cylindriques, denses et érigés. Les deux espèces décrites sont d'une bonne rusticité.

Espèces

A. mollis est originaire du bassin méditerranéen. Sa hauteur varie de 50 cm à 2 m suivant les climats et les sols. Cette espèce se comporte bien l'hiver dans un sol poreux. Dans les régions clémentes, le feuillage est persistant. Les feuilles, glabres, parfois légèrement velues, atteignent 60 cm de long et 15 à 20 cm de large.

Les hampes florales en épis sont robustes et portent, de juin à août, de nombreuses fleurs blanches, veinées de pourpre.

A. spinosus est une espèce drageonnante plus rustique que la précédente. Elle ne dépasse guère 60 à 80 cm de haut. Les feuilles, vert sombre, ont des lobes profonds et épineux. Ses fleurs, plus roses que celles de l'espèce précédente, s'épanouissent de juin à août.

Culture

Les acanthes prospèrent dans tous les sols, mais elles montrent une préférence pour les terrains profonds, frais, bien drainés. Elles préfèrent une exposition en plein soleil bien qu'elles tolèrent une ombre légère.

Multiplication

Semer en septembre ou diviser les souches en mars. On peut aussi bouturer les racines en décembre.

Dans votre jardin. Les acanthes trouveront place dans une grande rocaille, une platebande de belle taille, un jardin sauvage ou encore en bordure de sous-bois.

Elles seront du plus bel effet en compagnie d'*Achillea, Inula, Echinops,* et parmi des graminées de taille moyenne.

Les hampes florales constituent d'excellentes fleurs pour composer des bouquets.

A. spinosus *peut disparaître lors d'hivers rigoureux et réapparaître parfois à 1 m, voire davantage, de l'endroit où elle avait été plantée.*

Détail de l'inflorescence d'*A. mollis *aux fleurs blanches caractéristiques.

A. spinosus, *moins connue que* A. mollis, *est une très belle espèce au feuillage épineux, formant vite des touffes imposantes.*

ACHILLEA

ACHILLÉE - ASTÉRACÉES

S 6, S 7 *(A. filipendulina)*

***Cette plante a reçu ce nom en souvenir d'une légende. Blessé durant un combat, le héros grec Achille aurait été guéri le premier de ses blessures grâce à l'herbe aux mille feuilles ou* A. millefolium.**

Le genre comprend une centaine d'espèces vivaces, originaires des zones tempérées du monde entier. Leur feuillage est découpé et les fleurs en ombelles, qui s'épanouissent au printemps ou en été, exhalent souvent un parfum aromatique. Parmi ces espèces, toutes ne sont pas décoratives. Certaines sont même de mauvaises herbes ; d'autres, trop basses, sont considérées comme des plantes alpines. Il reste toutefois un bon nombre d'espèces rustiques, dignes d'intérêt, qui trouveront leur place dans le jardin.

Espèces

A. clypeolata est originaire des Balkans. Cette espèce, qui mesure environ 50 cm de haut, est assez peu répandue en pépinière. Son cultivar 'Moonshine', très répandu quant à lui, possède un feuillage gris argenté, finement découpé et persistant, très décoratif. Les ombelles de fleurs, jaune soufre, portées par des hampes de 50 à 60 cm de haut, apparaissent en juin et juillet.

A. filipendulina, originaire du Caucase, mesure environ 1 m de haut. Son feuillage est découpé et glauque, ses fleurs forment de larges ombelles jaune d'or qui s'épanouissent en juillet.

Le cultivar 'Coronation Gold' est plus florifère mais ses hampes florales ne dépassent pas 60 à 70 cm de haut. 'Golden Plate', de plus de 1,20 m de haut, offre une floraison d'un jaune soutenu.

A. filipendulina *'Golden Plate', une forme robuste réservée aux lieux secs et ensoleillés.*

A. clypeolata *'Moonshine', aux grandes inflorescences jaune pâle en compagnie de* Allium albopilosum.

A. millefolium est originaire d'Europe, d'Amérique et d'Australie. Cette espèce commune de nos talus mesure de 30 à 50 cm de haut. Son feuillage vert sombre, au port lâche, est finement et abondamment découpé. Les ombelles de fleurs, blanches ou rosées, plus rarement rouges, fleurissent de juin à août.
'Cerise Queen' est plus vigoureux que le type. Ses ombelles de fleurs sont de couleur rouge cerise. 'Red Beauty' possède des fleurs pourpres.
A. ptarmica, espèce très drageonnante, mesure de 30 cm à 1 m de haut. Ses feuilles sont étroites, non divisées et finement dentelées. Les ombelles de fleurs blanches sont très lâches.

'La Perle' ressemble à l'espèce, mais ses fleurs doubles forment de gracieux petits pompons blancs.
A. x taygetea est originaire de Grèce. De petite taille, cette espèce ne dépasse guère 30 à 40 cm de haut. Les petites ombelles de fleurs jaune citron apparaissent de mai à août.

Culture

Hormis *A. ptarmica* qui apprécie les lieux humides, les achillées montrent une nette préférence pour les sols secs, voire arides, éventuellement calcaires. Si l'on parvient à réunir ces conditions, elles peuvent vivre très longtemps. Il convient de rabattre les tiges défleuries pour prolonger la floraison.

Multiplication

Rajeunir les touffes tous les 3 ans en procédant à leur division au printemps. *A. m.* 'Cerise Queen' est un cultivar mal fixé qu'il est indispensable de multiplier par division.

Dans votre jardin. Les espèces tapissantes seront plantées en bordure, dans des jardins de graviers, au milieu de dallages ou sur des murets fleuris. Elles seront associées à des campanules, des œillets, des *Sedum.* Elles se marient à merveille avec d'autres plantes tapissantes à fleurs vives.
Les espèces de grande taille trouveront leur place dans un jardin naturel où elles pourront être utilisées comme fleurs à couper pour composer des bouquets frais ou secs.
On place *A. x taygetea* de préférence sur les bordures ou au devant de massifs.

A. millefolium, *accompagne une touffe hérissée de* Crocosmia masonorum *et des polygonums amplexicaues aux épis rouge vif.*

AGAPANTHUS

AGAPANTHE - LILIACÉES

S 6, S 8

Le nom de ce genre, qui signifie en grec, amour de fleur, lui fut donné par L'Héritier, en raison de sa beauté probablement.

Originaire d'Afrique du Sud, ces plantes vivaces, aux rhizomes tubéreux et aux racines épaisses et charnues, fleurissent en plein été. Les fleurs, portées par des tiges puissantes, s'épanouissent en grandes ombelles arrondies, bleues, violettes ou blanches. Les feuilles, persistantes chez certaines espèces, forment des lanières.

Espèces

A. campanulatus est l'agapanthe la plus rustique. Les hampes florales de 50 cm à 1 m de haut sont garnies de nombreuses fleurs bleues. Le feuillage vert grisâtre est persistant dans les régions aux hivers doux. Les hampes florales sont d'un grand intérêt décoratif pour la confection des bouquets.

Parmi les nombreux hybrides existant, on retiendra : 'Headbourne', peu différent du type, 'Blue Globe', haut de 1 m, aux fleurs bleu clair, et 'Profusion' haut de 80 cm, aux fleurs bleu clair.

A. umbellatus est une espèce fragile, difficilement cultivable au nord de la Loire. Il est préférable de l'installer en pot ou dans l'endroit le plus abrité du jardin. Les hampes florales de forme sphérique sont composées de nombreuses fleurs en forme de trompettes, d'un bleu lumineux. Le feuillage vert foncé est plus ou moins persistant.

La forme 'Albus' possède des fleurs blanches.

Culture

On plantera les agapanthes au printemps, au

A. umbellatus, ***une espèce à réserver au climat doux***

A.campanulatus, ***une espèce rustique, associée à*** **Crinum powelli,** ***aux grandes hampes.***

A. campanulatus ***'Blue Globe', pour la décoration des massifs ensoleillés.***

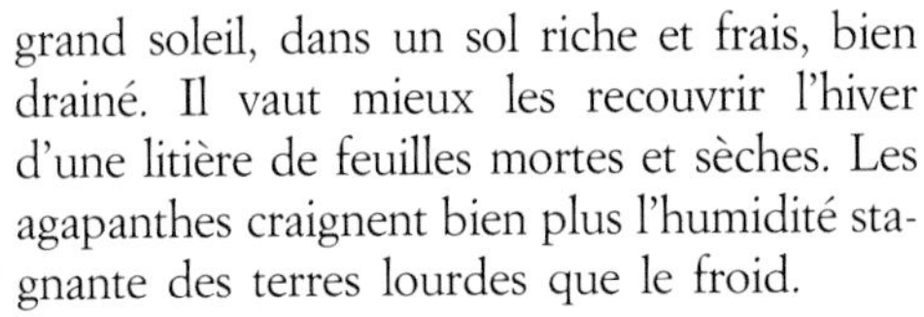

grand soleil, dans un sol riche et frais, bien drainé. Il vaut mieux les recouvrir l'hiver d'une litière de feuilles mortes et sèches. Les agapanthes craignent bien plus l'humidité stagnante des terres lourdes que le froid.

Multiplication

Diviser les grosses touffes en début d'année.

Dans votre jardin. Vous associerez de préférence les agapanthes avec *Crocosmia, Kniphofia, Crinum* et *Cistus.*

Les agapanthes sont parfois commercialisées « en sec » à l'automne, associées à des plantes bulbeuses. Cette solution n'est heureuse que si elles sont plantées dans des régions clémentes.

AGASTACHE

AGASTACHE - LAMIACÉES

S 7

Agastache vient du grec **agastos,** ***admirable, sans doute par allusion à la belle floraison et à l'agréable odeur de cette plante.***

Originaire d'Amérique, l'agastache est une plante rustique, vivant en plein soleil. Ses feuilles semblables à celles des orties sont odorantes. Leur parfum rappelle celui de la bergamote.

Espèces

A. anisata est originaire des États-Unis. Plante buissonnante, d'une hauteur de 1 m environ, cette agastache rappelle la menthe par le parfum de ses feuilles et par ses fleurs violettes. Celles-ci sont groupées en épis denses aux extrémités des tiges.

A. mexicana, originaire du Mexique, ressemble à l'espèce précédente, bien que ses fleurs, portées en épis lâches d'une hauteur de 60 cm, varient, allant du rose sombre au pourpre. Cette espèce vit peu de temps.

Culture

Les agastaches se plaisent dans tous les sols. Elles prospèrent aussi bien en terrain sec qu'en terrain humide. On les plante dans le jardin en automne ou au printemps.

Multiplication

Le semis en caissette est une opération aisée. On peut aussi diviser les touffes au printemps, et, d'une façon générale, pour éviter leur disparition, tous les 2 ans.

Dans votre jardin. Utilisez ces plantes dans un jardin sauvage ou en plates-bandes. Vous les associerez avec des plantes de soleil comme *Heliopsis, Helianthus, Inula...*

A. anisata, ***une agréable plante de bordure au comportement imprévu.***

ALSTROEMERIA

LIS DES INCAS - AMARYLLIDACÉES

S 6, S 7

Linné donna le nom d'Alstroemeria à ce genre en souvenir de son ami le baron Alstroemer, botaniste comme lui.

Alstroemeria aurantiaca *'Orange King'.*

Ce genre comporte environ 50 espèces, originaires d'Amérique du Sud. Les feuilles lancéolées sont semblables aux feuilles du lis. Les fleurs, qui s'épanouissent de juin à septembre, ressemblent à celles des orchidées et forment des ombelles lâches et pendantes.

Espèces

A. aurantiaca est originaire du Chili ; son feuillage lancéolé ne dépasse guère 50 cm de haut. L'étalement de la plante est variable : si le sol lui convient, elle peut couvrir jusqu'à 1 m^2 en 2 à 3 ans ; s'il lui déplaît, elle végète sur place et finit par disparaître. Les fleurs jaune orangé sont groupées au sommet de tiges érigées, de 70 cm à 1,10 m de haut.

Le cultivar 'Orange King' porte des fleurs orange vif, très lumineuses, et 'Lutea' des fleurs jaune d'or, striées de grenat.

A. ligtu, originaire du Chili, est une espèce haute de 50 cm, aux feuilles lancéolées, vert glauque, qui n'existe pas en culture. Les plantes commercialisées sous ce nom présentent de superbes tons pastel, orange, rose, jaune, saumon, blanc et une très bonne rusticité.

De bonne tenue dans les vases, les lis des Incas composent de jolis bouquets.

Culture

Ces plantes réclament une situation chaude et protégée, bien exposée au soleil. Elles se plaisent dans un sol riche, humifère et sans calcaire. Comme elles craignent particulièrement l'humidité stagnante, surtout durant l'hiver, le sol doit être très bien drainé. On effectue la plantation, de préférence au printemps, en manipulant avec soin les racines et en les enterrant à une profondeur de 15 à 20 cm. Durant les hivers rigoureux, protéger la souche à l'aide d'une litière de feuilles sèches.

Multiplication

On peut procéder à la division des touffes en septembre et octobre. Ce travail doit être effectué avec beaucoup de soin car ces plantes sont sensibles à la pourriture des racines. Utiliser des outils propres et manipuler les racines avec précaution. Très fragiles, elles risquent de se casser et d'entraîner le dessèchement de la plante. La reprise de ces lis est délicate au nord de la Loire, particulièrement dans les terres un peu lourdes. Il vaut mieux les laisser en place.

Dans votre jardin. Associez le lis des Incas à d'autres vivaces ayant les mêmes exigences de culture : agapanthes, *Amaryllis belladonna,* ainsi que toute autre espèce appréciant les sols biens drainés.

A. ligtu, ***aux coloris subtils et variables allant du blanc au rouge, en passant par le jaune.***

Les alstroemères sont d'une grande vigueur dans des conditions qui leur plaisent.

ALTHAEA « ALCEA »

ROSE TRÉMIÈRE - MALVACÉES

Althaea vient du mot grec* althainein*, qui signifie guérir. Ce nom donné par Linné rappelle les propriétés médicinales de cette plante.

Il existe environ 25 espèces d'*Althaea*, bisannuelles ou vivaces, originaires des régions tempérées d'Europe ou d'Asie. Ces plantes à tiges érigées dépassent souvent 2 m de haut. Les fleurs, aux couleurs vives, s'épanouissent durant l'été et à l'automne.

Espèces

A. ficifolia, originaire de Sibérie, est une plante vivace, rarement bisannuelle, aux feuilles trilobées. Robuste et rustique, elle dépasse souvent 2 m. Les fleurs, simples, sont le plus souvent jaunes, parfois roses et s'épanouissent en septembre.

A. rosea, originaire d'Orient, est une plante bisannuelle ou vivace, de 1,50 à 2,50 m de haut. Elle possède des feuilles anguleuses et dentées, vert foncé. Les fleurs s'épanouissent tout l'été et présentent une gamme de couleurs allant du blanc au rouge sombre en passant par le jaune. Il existe de nombreux cultivars aux fleurs plus ou moins doubles, mais ceux-ci sont généralement moins beaux que les plantes à fleurs simples.

Althaea.

Culture

Planter les roses trémières au printemps dans un sol riche et fumé, bien drainé et bien exposé au soleil.

Multiplication

Semer en pépinière d'avril à juin et repiquer directement en place les jeunes plantes en automne. Les *Althaea* sont sensibles à la rouille lorsque le terrain est trop sec ou trop humide. Les feuilles qui tombent doivent être brûlées. Traiter préventivement au printemps avec une bouillie à base de cuivre ou de manèbe.

Dans votre jardin. Ces plantes sont traditionnellement utilisées en petits groupes le long des façades orientées au sud. On peut également les utiliser en haie ou en fond de plates-bandes.

Roses trémières dans une plate-bande herbacée.

Les fleurs de* A. rosea *'Nigra' entrent dans la composition de certains colorants du vin.

DE L'USAGE DE ROSES TRÉMIÈRES

Althaea rosea et, en particulier, sa forme 'Nigra', aux fleurs rouge sombre, presque noires, entre dans la composition de tisanes aux propriétés calmantes et laxatives. Les fleurs sont également utilisées comme colorant pour le vin.

ANAPHALIS

ANAPHALIS - ASTÉRACÉES

S 6 *(A. margaritacea)*, S 7 *(A. triplinervis)*

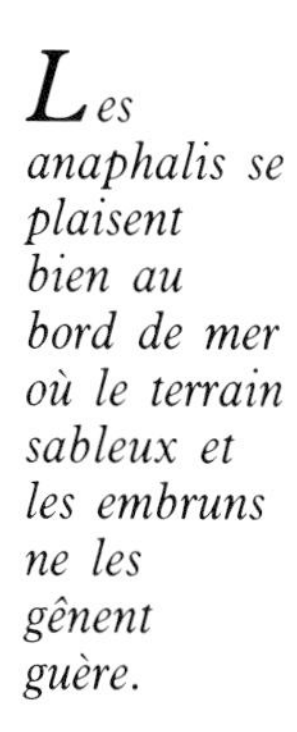

Les anaphalis se plaisent bien au bord de mer où le terrain sableux et les embruns ne les gênent guère.

A. triplinervis, ***avec son feuillage compact, est une excellente plante couvre-sol qui convient très bien aux bordures sèches.***

Le genre compte 35 espèces herbacées grises et feutrées, originaires d'Europe, d'Asie et d'Amérique du Nord. Les petites fleurs rondes, réunies en corymbes, sont jaunes, entourées de bractées blanches ou grises. Elles brillent au soleil avec cet aspect de papier propre aux immortelles. On les utilise pour les compositions de bouquets secs.

Espèces

A. margaritacea mesure, selon la nature du sol, de 20 à 50 cm de haut pour un étalement de 40 à 70 cm. Cette plante drageonnante a des tiges non ramifiées et de petites feuilles lancéolées garnies de duvet soyeux et blanchâtre sur le dessus. Les tiges florales, hautes et lâches, portent des corymbes de fleurs à bractées blanc nacré, qui fleurissent de juillet à septembre.

La variété 'Yedoensis', plus basse, mesure seulement 15 à 20 cm de haut. Ses tiges sont également très ramifiées.

A. triplinervis, originaire de l'Himalaya, est une espèce très gracieuse, haute de 20 à 40 cm. Elle forme des petits buissons arrondis, denses, à feuillage argenté, surmonté durant l'été par de nombreuses fleurs argentées.

Culture

Ces plantes sont peu exigeantes quant à la nature du sol qui doit être sec et pauvre, même pierreux ou calcaire. On les installera en automne dans les régions clémentes et plutôt au printemps dans les régions fraîches.

Multiplication

On multiplie très facilement les anaphalis par division des touffes tous les 3 ou 4 ans ou par bouturage en début de printemps.

Dans votre jardin. L'anaphalis prend toute sa valeur ornementale en plein soleil. On associe les espèces de grande taille avec des lavandes, *Eryngium, Sedum spectabile* ou *Verbascum,* dans un jardin de graviers, une grande rocaille ou dans un talus fleuri.

A. margaritacea ***est une espèce vigoureuse s'étalant rapidement.***

ANCHUSA

BUGLOSSE - BORAGINACÉES

S 5, S 7

Le nom de ce genre, donné par Linné, vient de* anchousa*, fard, les racines de* A. tinctoria *renfermant un colorant rouge dont on se servait autrefois pour se poudrer le visage.

Le bleu de la buglosse est aussi beau et lumineux que celui de la gentiane. Cette plante est très appréciée pour les décorations florales.

Il existe environ 30 espèces d'*Anchusa,* originaires des zones tempérées d'Europe, d'Afrique et d'Asie de l'Ouest. Ces plantes, plus ou moins rustiques, vigoureuses, sont garnies de poils raides. Elles portent des feuilles lancéolées et des fleurs bleues, réunies en panicules lâches.

Espèces

A. italica (*A. azurea*), originaire du pourtour méditerranéen, est une plante vivace et rustique. Sa taille ainsi que son étalement s'échelonnent de 1 m à 1,50 m. Elle possède une souche charnue aux racines épaisses et des feuilles longues de 40 cm, couvertes de poils rêches et raides. Les grandes tiges florales ramifiées portent des fleurs d'un bleu gentiane.

Les grandes inflorescences de* A. italica *offrent toute leur beauté dans un sol sec.

Il existe de nombreux hybrides ; on retiendra, parmi les plus courants : 'Dropmore', l'une des meilleures variétés, de 1 m de haut environ, aux fleurs d'un bleu lumineux réunies en longues panicules ; 'Little John' le plus petit, avec 50 cm de haut, dont les petites fleurs, d'un bleu intense, durent longtemps, et 'Loddon Royalist', de 1 m de haut, à l'abondante floraison hâtive groupée au sommet des tiges.

Culture

Les buglosses sont des plantes de soleil qui ne vivent pas longtemps dans les sols lourds. Il vaut mieux les planter au printemps dans un sol sec mais riche et bien drainé durant l'hiver. Rabattre les tiges florales au ras de la souche pour aider celles-ci à se refaire avant l'hiver. Dans les régions humides, il faut les protéger contre les pluies hivernales.

Multiplication

Rajeunir les souches en replantant tous les 2 ou 3 ans des éclats enracinés, prélevés sur le pourtour de la souche.

Dans votre jardin. Ces plantes sont magnifiques en compagnie d'armoises, de pavots d'Orient et d'iris de grande taille.

ANTHEMIS

CAMOMILLE - ASTÉRACÉES

Le nom donné par Linné dérive du mot grec* anthemon, *fleur, et évoque certainement l'abondante floraison de cette plante.

On ne trouve pratiquement jamais dans le commerce A. sancti-johannis *mais plutôt des hybrides, ce qui explique sa légère variabilité.*

Ce genre compte une centaine d'espèces herbacées, annuelles ou vivaces, originaires d'Europe, de l'ouest de l'Asie et d'Afrique du Nord. Les deux espèces décrites sont vivaces et rustiques.

Espèces

A. sancti-johannis, originaire de Bulgarie, est une plante buissonnante de 40 à 90 cm de haut et d'une largeur de 30 à 60 cm, aux tiges dressées et ramifiées. Le feuillage vert moyen est finement divisé. Les capitules de fleurs orangées, larges de 5 cm, s'épanouissent de juin à août.

A. tinctoria, la camomille des teinturiers, est originaire des continents européen et asiatique. Elle présente des tiges minces et feutrées hautes et larges de 30 à 60 cm. Les feuilles sont pennatifidées. Les capitules, jaune d'or, se succèdent de juin à septembre.

De nombreux hybrides, souvent plus grands que le type, sont commercialisés, tels 'Beauty of Grallagh', de 60 à 90 cm, aux fleurs d'un jaune soutenu, et 'Grallagh Gold', de même hauteur et jaune orangé.

Culture

Les *Anthemis* ne vivent pas longtemps. Elles ne résistent bien à l'hiver qu'à condition de les rabattre fortement après la floraison pour provoquer l'apparition de nouvelles pousses avant la mauvaise saison.

Planter au printemps dans un sol sec, même caillouteux et en plein soleil.

Multiplication

Diviser les touffes au printemps et replanter les éclats bien racinés tous les 40 à 50 cm.

Dans votre jardin. Plantez les camomilles en compagnie de *Campanula persicifolia,* ou de toute autre plante de même hauteur possédant des fleurs bleues ou violettes. Les fleurs des *Anthemis* s'associent à merveille avec les *Phlox.*

La camomille des teinturiers,* A. tinctoria, *donne d'excellentes fleurs à couper.

ANTHERICUM
PHALANGÈRE - LILIACÉES

S 8

Le nom de ce genre, donné par Linné, vient du mot grec* anthos, *fleur, et de* herkanê, *haie, par allusion aux hampes élevées de ces plantes.

Il existe 50 espèces environ, originaires d'Afrique, d'Amérique du Sud et d'Europe. La souche forme des faisceaux. Les feuilles sont érigées comme celles des graminées, et les fleurs, souvent blanches, ressemblent à de petites fleurs de lis.

Espèces

A. liliago est originaire du continent européen. Haute de 40 à 60 cm, elle est de faible étalement. Les feuilles sont étroites, semblables à celles des graminées. Les hampes florales non ramifiées, garnies de petites fleurs blanches, s'épanouissent en mai et juin.

A. racemosum est une espèce plus grande que la précédente, mais moins florifère.

Culture

On cultive facilement les phalangères dans un sol très bien drainé, même un peu calcaire, en plein soleil.

A. liliago ***donne une abondance de petites fleurs blanches étoilées.***

Multiplication

Diviser les rhizomes au printemps, replanter aussitôt.

Dans votre jardin. Ces plantes forment de beaux bouquets. Elles trouveront leur place dans un jardin à caractère champêtre en compagnie de géraniums vivaces.

AQUILEGIA
ANCOLIE - RENONCULACÉES

S 7

Ce nom, donné par Tournefort, dérivé de* aquila, *aigle, se réfère à la forme des pétales.

Quelque 120 espèces, originaires de toutes les parties tempérées de l'hémisphère Nord, composent ce genre. Elles se caractérisent par des feuilles trilobées et des fleurs de toutes les couleurs, souvent munies d'éperons.

Espèces

A. alpina, originaire des Alpes, est une plante rustique, haute de 30 à 60 cm. Ses grosses fleurs, d'un bleu soutenu, apparaissent au sommet de longues tiges.

A. caerulea, haute de 30 à 50 cm, est originaire d'Amérique du Nord. Ses tiges duveteuses portent plusieurs fleurs bleues teintées de jaune à l'intérieur, munies de longs éperons.

A. vulgaris *offre par semis des fleurs aux teintes pastelles très variables.*

A. vulgaris *'Norah Barlow' est une ancolie très appréciée pour sa grande vigueur alliée à une extrême beauté.*

A. canadensis *est une petite espèce dotée, de par ses origines, d'une excellente rusticité.*

A. flabellata *'Nana Alba' une charmante petite espèce qui trouvera place dans une rocaille.*

A. alpina *se ressème bien dans les sols rocailleux.*

Autrefois, on employait l'ancolie vulgaire en médecine pour son action antiseptique. De nos jours, elle n'est plus utilisée que de façon externe, l'ingestion des graines pouvant avoir des conséquences mortelles.

A. caerulea ***possède de nombreux hybrides aux coloris toujours vifs.***

Il existe de nombreux hybrides aux couleurs très diverses.

A. canadensis, originaire du Canada, est une jolie espèce de 20 à 50 cm de haut. Elle possède un feuillage vert glauque et ses fleurs, rouge écarlate et jaune, sont munies d'éperons rouge clair. Elle fleurit dès le mois d'avril.

A. chrysantha, originaire d'Arizona et du Nouveau Mexique, peut atteindre 1 m de haut. Cette ancolie montre des tiges couvertes de poils soyeux et des feuilles profondément lobées. Les larges fleurs, de couleur jaune d'or à jaune clair, aux longs éperons, fleurissent de mai à août. Elle est rarement vendue sous sa forme véritable, car elle s'hybride facilement avec *A. longissima.*

A. flabellata (*A. akitensis*) est originaire du Japon et de Corée. De petite taille, elle mesure de 15 à 20 cm de haut. Cette plante, à la souche ligneuse, forme des touffes denses de feuilles vert clair, trilobées. Les fleurs à éperons courts offrent une gamme de couleurs allant du blanc au bleu-mauve. 'Mini Star', donné parfois à tort comme cultivar de *A. cœrulea,* ne dépasse guère 10 cm. Sa floraison bleu pur apparaît de mai à août.

A. vulgaris, originaire du continent européen, mesure de 40 à 80 cm. Cette espèce est cultivée depuis des siècles sous différentes couleurs, bleu foncé, rose, blanc, violet...

On ne la trouve pratiquement plus dans le commerce, où elle est remplacée par des hybrides à fleurs doubles, comme 'Norah Barlow', un très beau cultivar à fleurs rouge carmin et crème.

Culture

Dans un terrain qui leur convient, les ancolies connaissent une durée de vie assez longue, de l'ordre de 5 à 6 ans, parfois davantage. Planter à l'automne ou au printemps, en exposition ensoleillée, dans un sol frais, léger et riche, bien drainé durant l'hiver. Ces plantes acceptent le calcaire, à l'exception de *A. alpina* qui le supporte mal, ainsi que les terres lourdes et argileuses ; elles y vivront cependant moins longtemps.

Multiplication

Semer en caissette, au printemps. Il faudra bien s'assurer de la pureté des graines car les ancolies se croisent très facilement. S'il existe plusieurs espèces dans le jardin, il est inutile de prélever des graines car les coloris ne seront pas fidèles. Acheter des graines sélectionnées.

Dans votre jardin. Les espèces les plus grandes seront placées en plates-bandes mixtes où elles accompagneront agréablement benoîtes et polémoniums. Les espèces les plus basses seront utilisées dans les dallages fleuris.

HYBRIDES DE *A. CAERULEA*	
Cultivar	**Couleurs**
'Himmelblau'	Bleu ciel et blanc
'Koralle'	Rose saumon brillant
'Blue Star'	Bleu ciel
'Crimson Star'	Rouge carmin et blanc
'Mac Kana'	Différents tons pastel
'Kristall'	Blanc pur

L'association inattendue d'une ancolie hybride et de népé[...] fleur bleu vif.

ARENARIA

ARÉNAIRE et SABLINE - CARYOPHYLLACÉES

S 7

Le nom, donné par Linné, vient de l'espagnol* arena, *sable. Il rappelle le biotope de ces plantes.

Les petites arénaires rampantes ne trouveront place que dans la rocaille.

Ce genre comprend 160 espèces environ, originaires du monde entier. Ces plantes herbacées ou sous-arbustives sont très souvent rampantes et de petite taille.

Espèces

A. montana est originaire d'Europe du Nord. Cette espèce forme des coussins de petites feuilles lancéolées, vert tendre, de 10 à 25 cm de haut et de 30 à 50 cm de large. De mai à juin, de grosses fleurs blanches du plus bel effet embellissent ces touffes de feuilles.

Culture

Les arénaires se plaisent en sol pauvre, sableux et très bien drainé, en exposition chaude et ensoleillée. *A. montana* apprécie également les terres calcaires et sèches.

A. balearica *forme des coussins fleuris très décoratifs.*

Multiplication

Diviser les touffes au printemps.

Dans votre jardin. *A. montana* peut se placer sur un dallage fleuri, un muret ou en bordure de plates-bandes en compagnie d'œillets, de petites campanules, de *Sedum*...

ARMERIA

GAZON D'ESPAGNE - PLUMBAGINACÉES

L 2

Le nom de ce genre, donné par de Candolle, vient du celte* armor, *le bord de mer, car de nombreuses espèces croissent sur le littoral.

A. maritima *possède de nombreuses sous-espèces disséminées à travers toute l'Europe.*

Il existe une cinquantaine d'espèces, originaires de l'hémisphère Nord, mais également du Chili jusqu'à la Terre de Feu. Ces plantes plus ou moins rustiques se présentent en coussins denses. Leur feuillage ressemble à celui des graminées. Les inflorescences, de couleur blanche à rouge, s'épanouissent en juillet. Les formes proposées en culture sont rarement les formes sauvages.

Espèces

A. maritima, dont l'habitat s'étend du nord de la France au cercle polaire, mesure de 10 à 20 cm de haut, pour un étalement de 20 à 50 cm. Les feuilles linéaires qui ressemblent à de l'herbe sont réunies en coussins, formant parfois de grands tapis. Les inflorescences rose carmin, larges de 2 cm, et de forme sphérique s'épanouissent de mai à juillet.

'Alba' a des fleurs blanches et 'Düsseldorfer' des fleurs rouge brillant.

A. pseudarmeria (*A. latifolia* ou *A. cephalotes*) est originaire du Portugal. Cette espèce semi-rustique, à la vie assez courte, est un peu plus grande que la précédente. Son feuillage vert sombre est aussi plus large. Les fleurs, plus grosses, rose lilas, apparaissent de juin à août. La forme 'Bees Ruby' est plus rouge.

A. maritima *' Düsseldorfer' forme d'élégants tapis gazonnant couverts de fleurs rouges dès le printemps.*

Culture

Les bords de mer, les sols légers, sableux, bien exposés au soleil, conviennent à ces plantes, qui se plaisent aussi dans les terres de jardin légèrement humides.

Dans votre jardin. Plantez le gazon d'Espagne au premier plan de vos plates-bandes, ainsi qu'en bordure et dans les dallages fleuris. Il forme un agréable contraste avec *Gypsophila paniculata*.

ARTEMISIA

ARMOISE - ASTÉRACÉES S 6, S 2 *(A. schmidtiana* 'Nana'*)*, S 4 *(A. stelleriana)*, S 7 *(A. lactiflora)*

Le nom de ce genre, donné par Linné, est dédié à Artémis, la Diane des Romains, déesse grecque de la chasse et protectrice de la nature.

L'absinthe, au goût amer, employée au début du siècle pour la préparation de boissons alcoolisées, a une toxicité certaine.

A. schmidtiana ***'Nana' trouvera place en bordure sèche ou en jardinière en compagnie de*** **Sidalcea** ***à fleurs roses et de*** **Chrysanthemum haradjani** ***à feuillage gris.***

Ce genre important ne comprend pas moins de 400 espèces de plantes herbacées ou sous-arbustives. La plupart de ces plantes sont originaires des régions sèches de la zone tempérée de l'hémisphère Nord. Quelques-unes cependant viennent du sud de l'Amérique et de l'Afrique.

Les fleurs, disposées en épis ou en grappes, forment des capitules. Les feuilles sont simples, alternes, souvent gris-vert ou couvertes de poils blanchâtres.

Espèces

A. absinthum, l'absinthe, originaire d'Europe, d'Amérique du Nord et d'Asie, est une plante herbacée aromatique aux tiges érigées et couvertes de poils soyeux. Haute de 40 cm à 1,20 m, elle devient ligneuse au bout de quelques années. Les capitules de fleurs jaunâtres sont insignifiants. On lui réservera un espace de un mètre carré.

A. lactiflora, originaire de Chine, est une plante aux tiges érigées, anguleuses et non ramifiées, pouvant atteindre 1,50 m de haut. Les feuilles, vert sombre, sont lobées et longues de 10 cm environ. Les inflorescences, très ramifiées, sont couvertes de petites fleurs blanc crème, très odorantes. La floraison, superbe, a lieu en septembre et octobre.

A. 1. *'Valérie Finnis' forme une belle association avec* Salvia nemorosa *'Superba'.*

A. latiloba ***'Valérie Finnis' possède l'un des feuillage les plus élégants parmi les armoises. On cultivera cette espèce en massif.***

A. latiloba 'Valérie Finnis' est une très belle plante horticole, haute de 40 à 80 cm pour un étalement de 60 à 80 cm. Elle présente des feuilles argentées presque entières de 4 à 10 cm de long et de petites fleurs jaunâtres en été.

A. ludoviciana (*A. gnaphalioides*), plante aromatique de 40 cm de haut, est originaire d'Amérique du Nord. Cette armoise aux rhizomes traçants a des tiges simples et grises, qui se ramifient aux inflorescences. Les feuilles sont étroites et lancéolées, pleines ou légèrement lobées, couvertes d'un duvet blanc sur le dessous. Les capitules de fleurs forment des ombelles denses et ramifiées de couleur jaunâtre durant l'été.

A. ludoviciana albula ***'Silver Queen' est également une plante de massif.***

La variété *A.l. albula* 'Silver Queen' est une belle plante vigoureuse dont le magnifique feuillage est argenté des deux côtés.

A. maritima 'Canescens' est une plante horticole plus rustique que l'espèce, de 50 cm de haut et d'un étalement de 50 à 80 cm. Ses rameaux sont ligneux et dressés et son feuillage gris bleuté est finement découpé.

A. pontica, originaire du continent européen, est une plante légèrement aromatique de 40 à 80 cm de hauteur. Ses rhizomes sont traçants et ses tiges érigées, non ramifiées, portent un feuillage dense. Les feuilles de 3 à 4 cm de long, finement découpées, portent un duvet gris sur le revers. Les capitules de fleurs jaunes forment de longues grappes pendantes en juillet et en août. Cette espèce est composée de très belles touffes, sa végétation est vigoureuse.

A. schmidtiana, originaire du Japon, est une plante rampante formant un buisson de 40 à 50 cm de haut. Ses tiges sont ramifiées aux extrémités. Les feuilles de 3 à 4 cm de long, velues et soyeuses, sont très finement lobées. Les capitules portent, en juin et juillet, de nombreuses fleurs blanchâtres.

La forme 'Nana', de plus petite taille, mesure seulement 15 à 30 cm de haut. Elle forme des petits coussins étalés de 30 à 50 cm de large.

L'armoise servait à parfumer la bière avant l'introduction du houblon.

A. stelleriana, originaire du Japon, d'Asie, d'Europe et d'Amérique du Nord, est une plante rustique mesurant de 30 à 60 cm de haut. Cette espèce rampante peut couvrir une surface de 1 m^2, voire davantage. Les tiges ligneuses, rampantes puis dressées, ne se ramifient qu'à la floraison. Les feuilles, souvent réunies à l'extrémité des tiges, sont longues et larges, lobées ou profondément dentelées et couvertes d'un feutrage blanc. La floraison insignifiante apparaît de juin à juillet.

A. stelleriana

Culture

Toutes les armoises montrent une nette préférence pour les sols secs et très bien drainés, quelle qu'en soit la nature. Elles apprécient une exposition chaude et ensoleillée, surtout au nord de la Loire. Toutes les espèces décrites sont rustiques sous le climat de la région parisienne. Toutefois, lors d'hivers rigoureux, il est préférable, après avoir rabattu les pousses, de couvrir le sol de paille sèche. La taille, en fin de saison, est nécessaire pour maintenir un aspect buissonnant aux formes arbustives. Rabattre chaque année la moitié des nouvelles pousses en fin d'automne.
Installer les jeunes plantes de préférence au printemps dans les régions aux hivers humides.

Multiplication

Les espèces herbacées se prêtent très bien à la division des touffes tous les 3 ou 4 ans. Les formes sous-arbustives se divisent mal, mais les tiges rampantes, au pied de la souche, se marcottent souvent d'elles-mêmes. Dans ce cas, sevrer les marcottes et repiquer en place au printemps.
On peut également prélever des boutures herbacées vertes en juin, mais cette opération demande beaucoup d'attention et la réussite est très aléatoire.

Dans votre jardin. Ces plantes sont très appréciées pour leur feuillage décoratif et aromatique. Leurs couleurs adoucissent les floraisons vives d'autres plantes herbacées. On les utilise souvent dans les jardins blancs, en plates-bandes ou associées, pour les espèces les plus grandes, avec des asters.
A. stelleriana est utilisée aussi bien en couvre-sol qu'en plante isolée dans les petits et les grands jardins. Elle trouvera également sa place en dallage ou sur un muret fleuri où ses tiges retomberont en cascade.
A. s. 'Nana' égayera un dallage, un muret, une rocaille. Elle décore aussi admirablement les premiers plans des plates-bandes en compagnie de petites campanules, de petits géraniums vivaces ou d'hélianthèmes.

UNE PLANTE MÉDICINALE

Les vertus de l'armoise sont connues depuis l'Antiquité, aussi bien chez les Grecs, par Hippocrate, que chez les Romains qui accordaient à cette plante la réputation de soigner le « haut mal » ou *épilepsie*. Cette herbe royale, aussi appelée « herbe aux cent goûts », jouissait d'une si bonne réputation qu'au Moyen Âge une légende disait : « Si l'armoise se trouve dans une maison, aucun mauvais esprit n'y restera. »

A. stellerriana, ***ici avec*** **Lychnis flo-jovis** ***à fleurs rose vif, allège les bordures de massifs de son feuillage gris et léger.***

ASCLEPIAS

ASCLÉPIADE - ASCLÉPIADACÉES

(A. tuberosa) S 7, S 6

Le nom d'*Asclepias*, donné par Tournefort, est celui d'*Esculape*, dieu grec de la médecine.

On appelle communément A. syriaca *l'herbe aux perruches. En effet, les fruits qui suivent la floraison ressemblent à cet oiseau.*

Ce genre comprend, selon les botanistes, de 120 à 200 espèces. Ces plantes herbacées ou ligneuses, originaires pour la plupart des États-Unis et d'Afrique, contiennent presque toutes du latex. Elles ont des feuilles simples souvent opposées. Leurs fleurs, réunies en cymes, vont du blanc au rouge en passant par le jaune. Peu d'espèces sont vraiment rustiques sous nos climats.

Espèces

A. incarnata, originaire du Texas, mesure de 80 cm à 1,20 m de haut pour un faible étalement. Les tiges, ramifiées dans la partie supérieure, portent des feuilles glauques, alternes et elliptiques. Les fleurs roses ou blanches, à l'agréable parfum de vanille, s'ouvrent de juin à août.

A. syriaca (*A. cornutii*) est originaire d'Europe et d'Amérique du Nord. Cette plante à tiges simples mesure de 1 à 2 m de haut. Ses rhizomes sont traçants et ses feuilles elliptiques mesurent de 10 à 25 cm de long. Les fleurs roses, pourpres ou blanches, au parfum de miel, s'épanouissent de juin à août. Cette espèce craignant les grands froids pendant les premières années est parfois longue à s'installer. Elle drageonne ensuite abondamment et peut réapparaître à plusieurs mètres de distance de l'endroit où elle avait été plantée.

A. tuberosa, originaire des États-Unis, est une plante de 1 m de haut, de faible étalement.

A. incarnata ***appréciera un sol frais, même très humide.***

Elle possède des tiges simples, couvertes de poils raides et une souche tubéreuse. Les feuilles longues de 15 cm sont lancéolées et velues. Les fleurs cireuses de couleur orange, rouge vif, parfois jaune, s'épanouissent de juin à août. Cette espèce fournit d'excellentes fleurs à couper.

Culture

Ces plantes aiment les terres fraîches ou sèches bien drainées. On les plante à l'automne ou au printemps en plein soleil. Seule *A. incarnata,* qui se plaît dans un sol humide, apprécie les bordures des plans d'eau.

Multiplication

Semer et diviser les touffes au printemps.

Dans votre jardin. On utilise les asclépiades en plates-bandes mixtes en association avec des graminées, des acanthes et des armoises.

A. tuberosa ***préfère un sol très bien drainé.***

***Détail du fruit d'*A. syriaca.**

ASPHODELINE

BÂTON DE JACOB - LILIACÉES

S 7

Le nom de ce genre, désigné par Reichenbach, est dérivé d'*Asphodelus*, autre genre avec lequel il présente de nombreuses ressemblances.

Ce genre est composé d'une quinzaine d'espèces originaires d'Europe et du pourtour méditerranéen.

Le bâton de Jacob exècre, comme la plupart des plantes méditerranéennes, l'humidité hivernale.

***A. lutea** possède des hampes florales robustes qui n'ont pas besoin d'être tuteurées.*

Espèce

A. lutea est une plante drageonnante de 70 cm à 1,20 m de haut, aux feuilles triangulaires vert bleuté de 30 cm de long, engainées à la base. Les fleurs étoilées, jaunes, sont portées en épis très denses d'avril à mai.

Culture

Installer cette plante robuste durant l'automne dans les régions clémentes et, au printemps, dans les autres régions. Planter à une distance de 25 à 30 cm, dans un sol drainé, riche et bien ensoleillé. Le bâton de Jacob accepte d'être planté en bord de mer ainsi qu'en terrain calcaire. Il est rustique sous le climat de la région parisienne, mais il demande une protection contre les vents froids. Il convient de rabattre les hampes en fin de saison.

Multiplication

Diviser les touffes au printemps.

Dans votre jardin. Ces plantes s'utilisent isolément ou en massifs en compagnie de *Centranthus ruber* ou de gypsophiles.

ASPHODELUS

ASPHODÈLE - LILIACÉES

S 3, S 7

Le nom de ce genre, donné par Tournefort, désignait déjà une plante dans la langue grecque.

Ce genre comprend une douzaine de plantes herbacées, vivaces et rustiques, originaires d'Europe et d'Asie. Ces plantes aux racines charnues, dont les feuilles linéaires partent toujours du sol, forment de grosses touffes.

Détail de la hampe florale de A. albus.

Espèce

A. albus, originaire du sud de l'Europe mesure de 70 cm à 1 m de haut pour un étalement de 30 à 40 cm. Cette belle espèce, à racines charnues, possède des feuilles linéaires longues de 60 cm. Les hampes florales, rarement ramifiées, portent des fleurs blanches réunies en racèmes qui s'épanouissent en juin et juillet.

Culture

Ces plantes aiment les endroits chauds et les sols secs, calcaires et bien drainés. On plantera les asphodèles au printemps à 30 cm de distance environ.

Multiplication

Diviser les souches charnues au printemps en prenant soin de ne pas les abîmer.

*La silhouette de **A. albus** s'harmonise avec celles de plantes en touffes hérissées commme l'agave.*

Dans votre jardin. On installe les asphodèles dans les jardins de graviers, dans les dallages fleuris. Là, elles feront merveille en touffes isolées ou associées à des *Camassia*.

ASTER

ASTER - ASTÉRACÉES

S : *voir* chaque espèce.

Ce nom, donné par Tournefort, vient du mot **aster*, étoile, par allusion à la forme de la fleur et à sa luminosité.***

Ce genre comprend 600 espèces environ, originaires d'Europe, d'Asie, d'Amérique du Nord et d'Afrique du Sud. Ces plantes herbacées, vivaces, annuelles ou bisannuelles, sont parfois buissonnantes. Les feuilles sont simples et alternes. Les fleurs en capitules solitaires sont groupées en inflorescences, en forme de corymbes, d'épis ou de grappes de toutes les couleurs. Leur floraison a lieu du début de l'été à l'automne. On distinguera les espèces d'Amérique des autres (Europe et Asie), car elles sont généralement plus grandes et présentent une silhouette plus élancée.

A. amellus *fournit d'excellentes fleurs à couper.*

Espèces d'Europe et d'Asie

A. amellus, spontané de la France à la Sibérie, mesure de 30 à 60 cm de haut. Ses tiges érigées se lignifient à la base. Toute la plante est couverte de poils raides. Les feuilles larges et lancéolées sont lisses, rarement dentelées. Les grandes fleurs à cœur jaune, réunies en grappes lâches, à pétales bleu lilas, plus rarement rouges ou blancs, s'épanouissent d'août à septembre. **S 6**

On retiendra, parmi les principaux hybrides 'Blue King', aux grandes fleurs bleu foncé; 'Lac de Genève', plus tardif, aux grandes fleurs bleues; 'Lady Hindlip', également tardif mais aux grandes fleurs roses; 'Veilchenkönigin', violet foncé et plus petit; et enfin, 'Suzette', aux fleurs mauves.

A. x frikartii est un hybride de 60 à 80 cm de haut. Il porte sur de longues tiges de grandes fleurs de 6 à 7 cm de large, bleues à lilas. La floraison a lieu d'août à septembre.

Le cultivar 'Wunder Von Stäfa', bleu clair, est splendide. **S 7**

A. linosyris, originaire d'Europe et d'Afrique du Nord, mesure 50 cm de haut pour un étalement de 30 à 40 cm. Ses tiges glabres sont érigées et non ramifiées. Les feuilles, petites et linéaires, ressemblent à celles des graminées. Les petits capitules de fleurs sans ligules forment des corymbes denses, de couleur jaune d'or, qui fleurissent d'août à septembre. **S 7**

A. pyrenaeus, originaire de l'ouest des Pyrénées, mesure de 60 à 90 cm de haut et forme de belles touffes de 40 à 60 cm de large. Cette espèce, voisine de *A. amellus,* a des tiges velues et ramifiées et des feuilles lancéolées. Les fleurs bleu lilas, à cœur jaune, sont disposées en corymbes, au sommet de tiges robustes. Elles fleurissent d'août à septembre. **S 6**

La variété 'Lutetia' connaît une floraison plus riche que le type. Elle est plus vivace et plus robuste que *A. amellus.*

A. sedifolius, originaire d'Europe centrale et d'Asie du Nord, est une espèce rustique de 60 à 80 cm de haut. Elle forme de belles touffes

Les asters éclairent de leur riche floraison les plates-bandes automnales.

A. novae-angliae ***'September Ruby' est un aster hâtif qui s'épanouit fin septembre.***

de 50 cm de large aux tiges très feuillées et fortement ramifiées en ombelles. Les feuilles, linéaires et étroites, sont vert bleuté. Les capitules montrent un cœur jaune et les fleurs de couleur lilas s'épanouissent d'août à septembre. **S 6**

La forme 'Nanus', plus petite que le type, forme des petits buissons hémisphériques de 30 cm de haut.

A. sibiricus est originaire de Norvège, de Sibérie et du Canada. Cette plante, de 30 à 40 cm de haut, aux tiges rarement ramifiées, est drageonnante. Les feuilles, larges et lancéolées, sont couvertes de poils raides. Les capitules de fleurs de couleur violette à bleu clair et à cœur jaune s'épanouissent en corymbes, d'août à septembre. Cette plante pousse très vite et couvre en peu de temps de grandes surfaces. **S 6**

A. tongolensis, originaire de l'ouest de la Chine, mesure de 30 à 40 cm de haut pour un étalement de 40 à 70 cm. Les feuilles ovales sont poilues. Les fleurs, de 3 à 4 cm de large, sont d'un bleu lilas lumineux à cœur jaune orangé. Elles fleurissent de mai à juin. On cultive rarement le type car il s'hybride facilement. **S 3**

Culture

Planter *A. amellus, A. x frikartii* et *A. pyrenaeus,* de préférence au printemps, ou en tout début d'automne, pour éviter les pertes consécutives à un excès d'humidité durant l'hiver (un pied tous les 30 ou 40 cm).

A. amellus et *A. pyrenaeus* apprécient un sol poreux, même calcaire, bien drainé pendant l'hiver tandis que *A. linosyris* préfère des sols secs, caillouteux ou argilo-sableux. Installer *A. amellus, A. linosyris, A. pyrenaeus* et *A. tongolensis* au soleil. *A. sibiricus* accepte la mi-ombre à condition que le sol soit bien drainé.

Multiplication

Bouturer les pousses vertes de *A. amellus* et de *A. pyrenaeus* en avril ou mai. Diviser les touffes âgées en début d'année.

A. tongolensis, *ainsi que beaucoup d'espèces naines, a une floraison printanière.*

Dans votre jardin. Vous placerez *A. amellus* à l'arrière-plan de vos plates-bandes avec des vivaces à floraison estivale comme les iris, les lis... Vous pouvez associer *A. linosyris* à des graminées comme la fétuque. *A. sibiricus* égayera les dallages fleuris.

Espèces d'Amérique

A. cordifolius, dont l'habitat s'étend du Québec au Missouri, est une espèce robuste, de 60 cm à 1,50 m de haut, pour un étalement de 60 cm. C'est une plante à tiges ramifiées rougeâtres, aux feuilles ovales et à dents pointues. Les capitules violets ou bleus, rarement blancs, à cœur jaune, forment des grappes lâches au sommet des tiges. La floraison a lieu de septembre à octobre. 'Ideal', de 80 cm à 1 m de haut, a des fleurs bleu lavande. **S 7**

A. divaricatus, originaire d'Amérique du Nord et du Canada, mesure de 50 à 80 cm de haut pour un étalement de 30 à 50 cm. Les tiges cylindriques sont divergeantes et glabres et portent des feuilles ovales et dentelées. Les fleurs forment des panicules lâches. Elles ont des pétales blancs à cœur brun et s'épanouissent de septembre à octobre. **S 5**

A. dumosus, originaire d'Amérique du Nord, est une petite plante à rhizomes traçants de 20 à 40 cm de haut. Les inflorescences sont ramifiées en ombelles et les fleurs, de petite taille, lilas pâle, ont un cœur brun ou jaune. La floraison a lieu d'août à octobre. Le croisement avec *A. novi-belgii* est à l'origine d'un choix important d'hybrides dont la hauteur varie de 20 à 50 cm. **S 6**

A. ericoides est originaire d'Amérique du Nord. Ce très bel aster de 50 cm à 1 m de haut forme un buisson compact de 70 cm à 1 m d'étalement. Il possède des tiges feuillées, glabres ou poilues, très ramifiées, et des feuilles linéaires. Ses fleurs nombreuses, blanches ou roses, à cœur jaune ou brun, s'étalent en panicules de septembre à novembre. **S 5**

A. laevis, originaire d'Amérique du Nord, mesure de 60 cm à 1,20 m de haut. Cette

A. dumosus ***s'intègre facilement dans une plate-bande.***

Les fleurs de A. novae-angliae *se referment le soir ou par mauvais temps.*

Tuteurer discrètement les variétés les plus hautes de A. novi-belgii *au printemps.*

plante glabre, à rhizomes rougeâtres, montre un feuillage vert glauque. Les gros capitules de fleurs bleues ou violettes, à cœur jaune, sont disposés en inflorescences lâches et peu fournies. La floraison a lieu à l'automne, en septembre et octobre. **S 5, S 7**

A. lateriflorus, originaire des États-Unis, est une très belle plante pouvant atteindre 1,20 m de haut. Les feuilles ovales, lancéolées, sont de couleur vert foncé légèrement brun. Les capitules de fleurs, qui naissent à l'aisselle des feuilles, offrent une gamme de couleurs allant du blanc au rouge clair. Le cœur du capitule est jaune, mais il peut devenir pourpre. La floraison a lieu en septembre et octobre. **S 5**

La forme 'Horizontalis' offre un port plus ramassé, plus buissonnant que le type.

A. novae-angliae, originaire des États-Unis et du Canada, est une grande plante pouvant atteindre 1,80 à 2,20 m de haut. Cette espèce vigoureuse n'est pratiquement jamais cultivée; elle est remplacée par des hybrides aux couleurs variées et aux fleurs abondantes. Les inflorescences qui s'épanouissent en septembre et octobre sont très ramifiées. **S 7**

A. novi-belgii, originaire d'Amérique du Nord, est une plante de 1 m à 1,50 m de haut. Cette plante glabre, aux rhizomes faiblement traçants, possède des tiges cylindriques, puissantes et marbrées de rouge. Les inflorescences forment des corymbes de septembre à octobre. Cette espèce a donné de nombreux cultivars dont la plupart ont été créés en Angleterre. **S 7**

A. ptarmicoides, originaire des États-Unis, mesure de 30 à 70 cm de haut. Cette plante forme une touffe de tiges ramifiées et poilues. Les inflorescences, en corymbes, portent de nombreuses petites fleurs blanches ou jaune pâle à cœur blanc. La floraison a lieu de juillet à septembre. **S 5**

A. vimineus, originaire d'Amérique du Nord, est une très jolie plante de 60 cm à 1,50 m de haut. Elle forme des touffes buissonnantes aux tiges frêles. Ses feuilles linéaires mesurent de 7 à 12 cm de long. **S 5**

A. tongolensis ***'Berfgartenzwerg' trouvera place dans les bordures de massif.***

UNE MALADIE DE L'ASTER

Les variétés les plus florifères et de nombreuses formes doubles ont été produites par Ballard et Amos Perry.
Malheureusement, beaucoup d'entre elles étaient sensibles à l'*oïdium* (maladie du blanc). Georg Arends, en Allemagne, a créé ensuite des hybrides plus résistants à cette maladie. La maladie du blanc peut provoquer l'avortement des fleurs durant l'été, particulièrement lorsque le temps est chaud et humide. Pulvériser les feuilles avec un fongicide à base de bénomyl.

Culture

En règle générale, les asters poussent dans un sol très bien drainé. Ils ont horreur de l'humidité stagnante l'hiver et réclament une exposition en plein soleil. La floraison sera moins abondante à mi-ombre. Couper les tiges défleuries pour fortifier les souches.

Planter les pieds en les espaçant de 30 à 40 cm pour les petites espèces et de 50 à 60 cm pour les grandes comme *A. ericoides, A. lateriflorus, A. novi-belgii* et *A. novae-angliae.*

Planter *A. dumosus, A. ericoides* et *A. lateriflorus* au printemps ou à l'automne, dans toutes les bonnes terres de jardin, ni trop sèches ni trop humides.

A. novi-belgii préfère les sols frais, riches, bien drainés en hiver.

Installer *A. novi-belgii* au soleil.

A. lateriflorus se plaît au soleil ou à mi-ombre.

Éviter la chaleur pour *A. dumosus.*

A. ericoides ne craint pas la sécheresse.

Multiplication

En règle générale, procéder par division des souches.

Tous les 4 ou 5 ans, diviser les touffes et replanter aussitôt dans une terre enrichie de terreau, de préférence au printemps pour *A. lateriflorus,* à l'automne après avoir rabattu les tiges pour *A. dumosus.* Certaines touffes âgées de *A. novi-belgii* présentent parfois des trous. Prélever des éclats autour de la souche et replanter.

Dans votre jardin. Vous placerez *A. divaricus* entre des arbustes dont le feuillage sombre mettra en valeur la floraison. On peut associer *A. ericoides* avec *Liatris spicata, Sidalcea* et *Solidago. A. laevis* fera merveille en compagnie des hélianthus et des grandes verges d'or. *A. lateriflorus* prendra place au milieu de plantes à floraison automnale. Les cultivars de *A. novi-belgii* sont les plus décoratifs pour les plates-bandes qui fleuriront tardivement.

A. novae-angliae *'Constance' s'épanouit tardivement dans la saison.*

A. novi-belgii *'Marie Ballard' joliment associé avec les fleurs jaunes de* Heliopsis scabra.

A. novi-belgii *'Patricia Ballard' est un ancien cultivar toujours très prisé par les amateurs.*

A. novae-angliae *'Rosanna' est une variété mi hâtive très florifère.*

A. amellus *pousse bien en sol caillouteux, même calcaire.*

A. novi belgii *'Winster churchill', un cultivar plein de grâce.*

CULTIVARS DE *A. DUMOSUS*			
Cultivar	**Hauteur**	**Forme des fleurs**	**Couleur des fleurs**
'Fidelio'	40 cm	Simple	Bleu violacé
'Jenny'	50-60 cm	Double	Rouge pourpré
'Lady in Blue'	40 cm	Demi-double	Bleu violacé
'Niobe'	25 cm	Simple	Blanc pur
'Prof. A. Kippenberg'	40 cm	Demi-double	Bleue
'Rosebud'	30 cm	Demi-double	Rose clair
'Rosenkissen'	30 cm	Simple	Rose saumoné
'Silberblaukissen'	40 cm	Demi-double	Reflets argentés
'Snow Sprite'	30 cm	Simple	Blanche
'Star Light'	50 cm	Simple	Rouge bordeaux à disque orange
'Waldenburg'	40 cm	Demi-double	Rouge carminé

CULTIVARS DE *A. NOVAE-ANGLIAE*			
Cultivar	***Hauteur***	***Époque de floraison***	***Couleur des fleurs***
'Alma Pötschke'	1 m	Hâtive	Rouge rubis
'Constance'	1,20 m	Tardive	Violet foncé
'Madame Loyau'	1 m	Normale	Rose clair
'Paul Gerber'	1,40 m	Normale	Rouge carminé
'Pilosus'	1,20 m	Tardive	Bleue
'Rosanna'	1,20 m	Normale	Rose
'Rudelsburg'	1 m	Normale	Rose saumoné brillant
'Septemberruby'	1,20 m	Hâtive	Rouge vermeil

CULTIVARS DE *A. NOVI-BELGII*			
Cultivar	**Hauteur**	**Forme des fleurs**	**Couleur des fleurs**
'Ada Ballard'	1 m	Demi-double	Mauve bleuté
'Angela Pearl'	0,60-0,80 m	Double	Rose
'Crimson Brocade'	0,90 m	Demi-double	Rouge
'Eventide'	1 m	Demi-double	Violet foncé
'Fellow Ship'	1 m	Demi-double	Rose
'Freda Ballard'	1 m	Double	Rouge
'Juliae'	1 m	Double	Blanc rosé
'Marie Ballard'	1 m	Double	Bleue
'Picture'	0,80 m	Simple	Grenat lumineux
'Royal Velvet'	0,70 m	Demi-double	Violette
'White Ladies'	1 m	Demi-double	Blanche

BAPTISIA

BAPTISIA - FABACÉES

S 5

Donné par Ventenat, ce nom vient de* baptein, *teindre, et se réfère aux qualités de* B. tinctoria, *plante utilisée comme teinture.

Ce genre comprend 30 espèces environ, originaires de l'ouest et du sud des États-Unis. Ces plantes vivaces qui ne sont pas toutes rustiques ont des rhizomes puissants et des feuilles trilobées. Les fleurs, en épis plus ou moins longs, sont blanches, jaunes ou violettes. Les fruits forment de grandes gousses ; leur texture est voisine de celle du papier ou du bois.

Espèce

B. australis mesure 1,50 m de haut, pour un étalement de 40 à 60 cm. Les feuilles bleutées et coriaces sont divisées en 3 folioles ovales qui, contrairement aux feuilles de lupin, restent vertes jusqu'à l'automne. Les fleurs bleu-violet, de 20 à 40 mm de large, portées par des épis de 40 cm de long, s'épanouissent en juillet et en août. Les gousses qui leur succèdent mesurent de 3 à 6 cm de long.

Pailler B. australis *d'un lit de feuilles sèches dans les régions froides et humides pendant l'hiver.*

Culture

Les baptisias seront installées en plein soleil, dans un sol sec et bien drainé. Elles peuvent ainsi vivre de longues années. Rabattre les tiges en fin d'automne. Planter 4 à 6 pieds au mètre carré.

B. australis ***aime les sols très bien drainés.***

Multiplication

On multiplie facilement ces plantes par semis au printemps à une température de 20 °C. Mettre le semis au frais après la germination qui est lente et irrégulière.

Dans votre jardin. Ces plantes ressemblent aux lupins qu'elles peuvent remplacer dans les plates-bandes mixtes estivales. On les associe alors avec *Coreopsis, Erigeron* et *Liatris.*

B. autralis ***accompagne avec élégance la blanche alchémille, la grise santoline et la fraxinelle.***

BOLTONIA

ASTER ÉTOILÉ - ASTÉRACÉES S 7

Ce genre créé par L'Héritier fut dédié à J.-B. Bolton, professeur de botanique.

Il existe seulement 3 ou 4 espèces de ce genre, originaires d'Amérique du Nord. Proches des asters, on les utilise de la même façon.

Espèce

B. asteroides peut mesurer jusqu'à 2,10 m de hauteur. Les feuilles, semblables à celles du saule, sont lancéolées, glabres et de couleur vert glauque. Les inflorescences, portées par des tiges ramifiées, forment de gros bouquets lâches. Les fleurs, finement étoilées, blanches ou lilas, apparaissent en août.

Culture

Planter dans un sol sec, bien drainé, en exposition ensoleillée. Les asters étoilés acceptent la mi-ombre mais la floraison sera alors moins abondante.

B. asteroides, une espèce peu exigeante, proche des asters.

Multiplication

Diviser les souches de septembre à mars lorsque le temps le permet. Replanter aussitôt les éclats dans un sol préalablement enrichi.

Dans votre jardin. Très utile dans les jardins sauvages, *Boltonia* occupe les fonds de massifs.

BUGLOSSOIDES

BUGLOSSOIDES - BORAGINACÉES S 1

Le nom de ce genre, créé par Moench, tire son origine de buglosse, nom primitif du genre **Anchusa*****, et eidos, ressemblance, allusion au lien de parenté très prononcé qui unit ces plantes.***

Une seule espèce, originaire d'Europe, est vraiment intéressante à cultiver. C'est une plante relativement envahissante pour un petit jardin car elle se propage par stolons aériens.

Espèce

B. purpureo-caerulea mesure 30 cm de haut pour un étalement variable, de plusieurs mètres carrés parfois. Ses tiges très feuillues courent sur le sol et s'enracinent à leur extrémité, de loin en loin. Les hampes florales sont érigées, non ramifiées. Elles portent des fleurs étoilées, larges de 15 cm, rouges lorsqu'elles s'ouvrent, bleues par la suite, qui s'épanouissent en mai et en juin. Le bleu très particulier des fleurs est propre à la famille des boraginacées. Le feuillage est semi-persistant.

Culture

Installer 3 pieds au mètre carré, en plein soleil, dans un sol sec et riche, même calcaire et bien drainé. Cette plante accepte également les terres argileuses si elles sont bien drainées pendant l'hiver.

On rencontre parfois B. purpureo-caerulea *sur les talus ensoleillés et calcaires du sud de la France.*

B. purpureo caerulea ***forme un très robuste couvre-sol dans tout sol ordinaire, même calcaire.***

Multiplication

Prélever des stolons enracinés au printemps.

Dans votre jardin. On utilise *B. purpureo-caerulea* comme plante de bordure ou à la lisière des arbustes. La buglossoides n'étant pas vraiment une plante couvre-sol, il vaut mieux la marier avec des plantes robustes qui couvriront les espaces entre ses stolons, comme *Geranium sanguineum* ou l'anémone sylvestre.

CALLIRHOE

CALLIRHOÉ - MALVACÉES

S 4

Ce nom, donné par Nuttal, était celui d'une nymphe à laquelle était consacrée une fontaine d'Athènes.

Cette plante, encore peu connue, s'adapte aussi bien aux conditions de culture du sud de la France qu'à celles du nord.

Originaire d'Amérique du Nord, ce genre comprend 9 espèces, généralement vivaces, aux racines charnues, parfois renflées. Les tiges s'étalent plus ou moins sur le sol. Les feuilles alternes sont profondément lobées.

Espèce

C. involucrata, originaire du Texas, mesure 20 cm de haut pour un étalement de 40 à 60 cm. Cette plante vivace porte des feuilles velues en forme de main.

Les fleurs en entonnoir, roses ou carmin brillant, blanches à la base, se succèdent sans interruption de juin à octobre.

Culture

La floraison estivale est remarquablement continue si la plante est installée dans un terrain sec en plein soleil.

Multiplication

Semer au printemps. Lors de semis précoces, il n'est pas rare de voir les plantes fleurir dès la première année.

Dans les sols lourds, les callirhoés se ressèment facilement toutes seules.

Les fleurs en coupelle de* Callirhoe involucrata *illumineront un dallage fleuri de juin à octobre.

Dans votre jardin. Il est préférable de planter les callirhoés dans les grandes rocailles sèches, les balconnières, les jardinières, les dallages fleuris et les bordures. On les associe avec des *Sedum, Sempervivum* et *Euphorbia...* Il vaut mieux protéger ces plantes de l'humidité hivernale.

CAMPANULA

CAMPANULE - CAMPANULACÉES

S : *voir* chaque espèce.

Ces fleurs en forme de clochettes tirent leur nom du latin* campana, *cloche. Ce nom, l'un des plus anciens de tous les systèmes de classification, fut repris par Karl von Linné, père de la classification moderne.

La campanule à feuille de pêcher,* C. persicifolia, *est une des plus belles du genre.

Le genre, important pour les jardins, comprend environ 300 espèces originaires des régions tempérées de l'hémisphère Nord. Leur taille varie de quelques millimètres à 1,70 m. Leurs couleurs vont du bleu pâle au violet; exceptionnellement, on peut en voir des jaunes. La forme des fleurs est également très variable: étoilée, en clochettes plus ou moins grandes ou tubulaires...

Espèces

C. alliariifolia, originaire du Caucase et d'Anatolie, mesure de 50 à 60 cm de haut. Les feuilles basales, en forme de cœur, sont couvertes de poils gris. Les tiges portent, sur un seul de leur côté, des fleurs blanches en forme de clochettes à lobes pointus, qui s'épanouissent en juillet. **S 7**

C. barbata, originaire des Alpes et de Norvège, est une jolie plante de 20 à 40 cm de haut, souvent bisannuelle. Lors de la première année, une rosette de feuilles lancéolées et couvertes de poils raides apparaît. L'année suivante émerge la hampe florale portant d'un seul côté des clochettes bleu lilas ou blanches, poilues à leur extrémité, qui s'épanouissent en juin et en juillet. **S 3**

C. carpatica, originaire des Carpates, haute de 15 à 30 cm, forme une touffe buissonnante hémisphérique. Les feuilles, vert clair et glabres, sont recourbées. Les grosses fleurs bleues, parfois blanches, en larges clochettes à pointes courtes, s'épanouissent de juillet à septembre. **S 2**

C. carpatica peut couronner un muret ou être installé en rocaille.

C. carpativa var. *turbinata,* plus petite que l'espèce précédente, mesure seulement 10 à 20 cm de haut. Toute la plante est couverte d'un duvet blanc. Les fleurs, érigées, bleu-violet, ont des étamines pointues. **S 2**

C. glomerata est originaire d'Europe, du Caucase et d'Iran. Cette plante de 60 cm de haut et autant de large donne des tiges raides et anguleuses, marbrées de rouge. Les feuilles basales sont en forme de cœur, les feuilles des tiges sont lancéolées. Les fleurs violet foncé forment des touffes très denses à l'aisselle des feuilles supérieures. **S 1**

'Alba' est une forme à fleurs blanches ; 'Superba' porte des fleurs violettes plus foncées que le type ; 'Dahurica' est une variété au feuillage dense vert foncé et aux fleurs violettes.

Toutes ces plantes fleurissent en juillet et août.

C. persicifolia est originaire des Balkans, de Sibérie et d'Europe du Nord. Cette espèce à « feuilles de pêcher » mesure de 60 cm à 1,20 de haut. Elle forme sur le sol des petits coussins de feuilles brillantes allongées, rappelant celles du pêcher, d'où émergent en juin et

C. glomerata *est une espèce érigée d'un bleu-violet assez rare dans le genre.*

juillet des tiges érigées à feuilles souvent lâches. Ces tiges portent de 3 à 8 fleurs, disposées en larges clochettes et réunies en lâches grappes gracieuses. **S 7**

La forme 'Alba' possède des fleurs blanches et la forme 'Moerheimii' a des fleurs blanches doubles.

C. portenschlagiana (*C. muralis*), originaire de Dalmatie, est une petite plante disposée en touffes. De nombreuses tiges érigées, de 10 cm de haut, forment de petits buissons vert brillant de feuilles rondes, en forme de cœur. Les tiges florales de 15 cm de long sortent au ras du sol. Elles portent de nombreuses fleurs bleu-violet en clochettes, larges de 5 à 6 mm. La floraison a lieu en juin et en juillet, mais elle remonte souvent en septembre. **S 1**

C. portenschlagiana *décore avec beaucoup de charme des anfractuosités entre les dalles ou les roches.*

***La petite* C. cochlearifolia *trouvera sa place dans un jardin de gravier en compagnie d'un* geranium macrorrhizum.**

C. pyramidalis est originaire d'Italie et des Balkans. Cette plante robuste possède une racine en forme de carotte portant une rosette basale de feuilles brillantes et dentées ; la souche est généralement ramifiée. À la fin du printemps, la tige florale, mince et pyramidale, émerge, atteignant jusqu'à 1,70 m de haut. En juillet, elle se couvre de grosses fleurs étoilées et largement ouvertes de couleur bleu clair.**S 7**
La forme 'Alba' donne des fleurs blanches.

Culture

Les campanules sont peu exigeantes quant à la nature du sol, hormis *C. barbara* qui ne supporte pas le calcaire. Les autres campanules poussent dans tous les jardins. Le sol plus ou moins riche influencera leur aspect général et leur vigueur. Elles vivront plus longtemps dans un terrain bien drainé l'hiver.
C. carpatica et ses variétés se coucheront sur le sol au moment de la floraison si le sol est trop riche. Il faut leur réserver un sol drainé, pas trop humide, bien exposé au soleil.
C. glomerata aime les sols calcaires.
C. persicifolia apprécie les sols frais, éventuellement argileux, s'ils sont bien drainés, avec une exposition ensoleillée ou mi-ombragée.
Installer *C. pyramidalis* en terrain sec, bien abrité et en plein soleil.

Multiplication

La division des touffes au printemps est une opération facile, qui donne d'ailleurs les meilleurs résultats, car les espèces divisées seront fidèles au pied mère.
Diviser *C. persicifolia* et ses cultivars juste après la floraison.
C. pyramidalis est une espèce bisannuelle. Rabattre la hampe au ras du sol aussitôt après la floraison pour qu'elle produise de nouvelles pousses enracinées qui seront prélevées comme boutures.
Le semis est également facile à réaliser, mais les résultats sont parfois décevants. Les plantes ainsi obtenues sont très variables et ne peuvent constituer un groupe homogène pour décorer un massif.

Dans votre jardin. La robuste *C. alliariifolia* s'épanouira avec grâce dans les jardins sauvages. *C. persicifolia* et ses cultivars sont de magnifiques plantes pour plates-bandes mixtes et donnent d'excellentes fleurs à couper.

CATANANCHE

CUPIDONE - CICHORIACÉES

S 3, S 6

Autrefois, les sorcières de Thessalie utilisaient les fleurs des cupidones pour préparer les philtres d'amour. Son nom lui fut ainsi attribué en l'honneur de Cupidon, dieu de l'amour.

C. caerulea.

Ce genre ne comprend que 5 espèces de plantes herbacées, vivaces ou annuelles, originaires des régions méditerranéennes. L'espèce décrite a la réputation de ne pas vivre longtemps. Cependant, dans un sol riche et très bien drainé, elle peut vivre 5 à 6 ans et même plus si la floraison est peu abondante.

Espèce

C. caerulea, originaire du sud de l'Europe, haute de 50 à 80 cm, forme une touffe large de 30 à 40 cm. Cette plante vivace, aux fleurs semblables à celles des bleuets, porte des feuilles linéaires, serrées, d'un vert tirant sur le gris. Les capitules de fleurs, larges de 3 à 4 cm, solitaires à l'extrémité des tiges sont bleu lilas avec de grands pétales. La floraison a lieu de juin à septembre.

La forme 'Alba' montre des fleurs blanches.

Culture

Planter en plein soleil. Cette plante de prés secs et calcaires supporte très bien les terres argileuses, bien drainées durant l'hiver. Elle est d'une bonne rusticité jusque dans le nord de la France à condition que le terrain soit bien drainé. Dans les régions humides, planter de préférence au printemps.

Multiplication

Semer en mars en serre froide. Repiquées, puis installées en place vers la mi-mai, les plantules fleurissent dès la première année.

Multiplier les cultivars par division au printemps ou par boutures des racines à la même époque.

Dans votre jardin. *C. caerula* est une jolie plante que vous utiliserez dans les plates-bandes mixtes, bien exposées au soleil. Elle donne de belles fleurs à couper.

Le mélange audacieux de* C. caerulea *avec des astilbes, s'il est agréable à l'œil, présente quelques risques car ces plantes ne présentent pas les mêmes exigences de culture.

CENTAUREA

CENTAURÉE - ASTÉRACÉES

S 4, S 7 *(C. macrocephala)*

Les centaurées doivent leur nom à Khenon, un des centaures de la mythologie grecque, qui en utilisa une pour soigner une blessure causée par une flèche tirée par Hercule.

Ce genre comprend près de 500 espèces de plantes herbacées, vivaces, annuelles ou bisannuelles, originaires d'Europe ou d'Amérique. Ces plantes aromatiques ont des souches robustes, des tiges florales ramifiées et des feuilles alternes. Parmi les nombreuses espèces, quelques-unes seulement sont utiles au jardin.

C. dealbata *et* C. macrocephala *donnent d'excellentes fleurs à couper.*

Espèces

C. dealbata, originaire du Caucause, mesure de 60 à 80 cm de haut. Elle a des tiges érigées et des rameaux lâches. Les feuilles, vertes et lobées, possèdent sur le revers un feutrage blanc. Les fleurs rose tendre, blanches à l'intérieur, s'épanouissent en juin et en juillet et remontent en automne.

C. gymnocarpa, originaire d'Italie et d'Afrique du Nord, mesure de 50 à 60 cm de haut. Cette espèce est vivace ou semi-arbustive selon la région où elle pousse. La plante est feutrée et les tiges ramifiées, buissonnantes, portent des feuilles bipennées. Les capitules de fleurs rose-violet ou pourpres s'ouvrent en août.

C. macrocephala, originaire d'Arménie et du Caucause, plante assez haute de 1 m à 1,40 m, forme des touffes vigoureuses. Les feuilles basales non divisées sont grandes et vertes des deux côtés. Les tiges non ramifiées, très feuillues, portent à leur extrémité de gros boutons à écailles marron, surmontés d'un toupet de fleurs jaune d'or. La floraison a lieu de juin à juillet.

C. montana, le bleuet des montagnes, est originaire de France, d'Italie et des Carpates. Cette espèce, haute de 30 à 50 cm, a une souche drageonnante. Ses feuilles vert foncé sont simples et lancéolées. Les tiges, non ramifiées, couvertes d'un feutrage en toile d'araignée, portent des capitules de fleurs solitaires, bleues, qui s'ouvrent de mai à juin. La forme 'Alba' donne des fleurs blanches et la forme 'Rosea' des fleurs roses.

C. pulcherrima, originaire du Caucase et d'Asie Mineure, aux rhizomes fragmentés, mesure de 30 à 40 cm de haut. Les feuilles spatulées et dentelées sont glabres sur le dessus et recouvertes d'un feutrage au revers. Les tiges minces et raides portent chacune un capitule de fleurs roses en juin et juillet.

Culture

Les centaurées aiment les terrains secs, de toutes natures. Un sol bien drainé en hiver assure leur longévité.

C. montana sera plus belle dans une terre pauvre.

C. dealbata *'John Coutts' donnera d'excellentes fleurs à couper si elles sont cueillies en boutons ouverts.*

C. montana, ***le bleuet des montagnes, forme des touffes très denses.***

C. pulcherrima, ***moins florifère que les autres espèces, est néanmoins une très bonne plante.***

Multiplication
Semer en caissette au printemps. Afin de rajeunir les touffes âgées, procéder à leur division durant le printemps.
C. montana se propage également par boutures de racines au printemps.

Dans votre jardin. Vous associerez ces plantes de soleil aux *Eryngium, Catananche* et iris. Vous planterez *C. dealbata* isolément ou avec des arbustes, en premier plan.
Placer *C. macrocephala* en compagnie de *Delphinium.*

CENTRANTHUS

VALÉRIANE DES JARDINS – VALÉRIANACÉES

S 6

Les feuilles amères de C. ruber, *cuites, se mangeaient en salade et les racines en potage.*

Ce nom, donné par De Candolle, vient des mots grecs **kentron,** ***éperon, et*** **anthos,** ***fleur. Il se réfère à l'éperon que porte la corolle à sa base.***

Il existe 12 espèces environ, originaires des régions méditerranéennes et des Alpes du Sud. Il n'y a parmi ces plantes vivaces ou semi-arbustives qu'une seule espèce vraiment rustique et digne d'intérêt.

C. ruber ***montre une grande exhubérance en tout sol.***

Espèce
C. ruber, espèce haute de 40 à 70 cm, est entièrement vert glauque. Les feuilles sont ovales et allongées. Les fleurs rose foncé forment des cymes coniques et s'épanouissent de mai à juillet.
La forme 'Albus' donne des fleurs blanches, la forme 'Coccineus' des fleurs d'un rouge écarlate.

Culture
Cette plante aime les terrains secs et calcaires. Parfois, certaines touffes envahissent des murets de pierres sèches. Elle supporte bien toutes les terres de jardin et pousse même dans des terres argileuses si celles-ci sont bien drainées en hiver. Elle se ressème souvent toute seule quelle que soit la nature du sol et se comporte alors comme une plante sauvage.

Multiplication
Semer ou diviser les touffes au printemps.

Dans votre jardin. *C. ruber* occupe les fissures et les murets mais peut également faire partie de vos plates-bandes en compagnie de grands géraniums vivaces et des acanthes, ou être installé au pied des arbustes.

CEPHALARIA

SCABIEUSE DU CAUCASE – DIPSACACÉES

S 7

Donné par Schrader, ce nom dérive du grec* kephale, *tête, car ses fleurs, réunies en capitules arrondis, affectent la forme d'une tête.

Ce genre comprend 65 espèces de plantes herbacées, annuelles, bisannuelles ou vivaces, rarement arbustives, aux feuilles raides. Les capitules de fleurs ressemblent à ceux des scabieuses. Le calice extérieur, carré, est muni de nombreuses dents régulières. La corolle à 4 fentes est bleue, lilas, jaune ou blanche.

Plante majestueuse, la céphalaria est vraiment d'un très bel effet à l'arrière-plan de plates-bandes.

Espèce

C. gigantea, originaire du Caucase, mesure jusqu'à 2,50 m de haut pour un étalement de 1 m. Cette plante vivace et rustique, poilue dans la partie inférieure, montre des feuilles découpées en 4 à 6 paires de pennes. Les tiges florales, robustes et cannelées, sont peu ramifiées. Les capitules de fleurs, d'un joli jaune vif, larges de 6 cm, viennent de juillet à août.

C. gigantea ***animera les fonds de plates-bandes.***

Culture

Planter en octobre ou mars dans un sol humifère et pas trop humide, au soleil ou à mi-ombre.

Multiplication

On divise facilement les souches au printemps.

Dans votre jardin. Installer *C. gigantea* isolément ou en groupe, en bordure d'arbres ou d'arbustes. Vous l'associerez avec d'autres plantes d'aspect naturel telles que *Echinops* ou *Silphium*.

CERATOSTIGMA

PLUMBAGO – PLUMBAGINACÉES

S 6 *(C. plumbaginoides)*, S 5 *(C. willmottianum)*

Ce nom donné par Bundge vient de* keratos, *corne en grec, et de* stigma, *stigmate. Cette allusion est due aux petites excroissances cornues que portent les stigmates des fleurs.

Le genre comprend 8 espèces de plantes herbacées ou de sous-arbrisseaux semi-rustiques et vivaces. L'espèce décrite, la plus rustique du genre, peut être cultivée jusqu'en région parisienne sans précautions particulières.

C. plumbaginoides ***est superbe en automne.***

Espèces

C. plumbaginoides, le plumbago de Lady Larpent, originaire de Chine, mesure de 20 à 40 cm de haut pour un étalement de 50 à 60 cm. Sous-arbrisseau vivace, ses feuilles vert moyen se teintent de cramoisi à l'automne. De juillet à novembre, des fleurs bleues groupées en bouquets terminaux, se succèdent.

C. willmottianum, de 1 m de haut, est originaire de Chine. Cette plante qui forme des touffes arbustives caduques est pourvue, de juillet à octobre, d'une magnifique floraison bleu gentiane.

Culture

En avril, planter en plein soleil dans un terrain plutôt sec et bien drainé. Éviter le vent et les expositions au froid durant l'hiver. Rabattre en mars les parties aériennes de la plante, car elles sont souvent endommagées par le gel. Un apport d'engrais tous les 3 ans est nécessaire.

Multiplication

En avril, diviser les souches et planter aussitôt les éclats. En juillet, faire des boutures à talon de 8 cm sur couche chaude de 16 à 18 °C.

Dans votre jardin. Utilisez *C. plumbaginoides* comme couvre-sol en raison de ses nombreux rejets.

CHRYSANTHEMUM

CHRYSANTHÈME - ASTÉRACÉES

***Chrysanthemum** vient de **chrysos**, qui signifie en grec or, et de **anthos**, fleur. Cette étymologie fait référence au cœur jaune que présentent les fleurs de plusieurs espèces.*

Ce genre comprend environ 200 espèces de plantes annuelles, vivaces ou semi-arbustives, originaires des zones tempérées et subtropicales de l'hémisphère Nord. Les plantes décrites sont rustiques, de taille basse ou moyennement haute, érigées et touffues, avec des capitules de fleurs solitaires ou réunies en corymbes.

C. serotinum *pousse spontanément au bord des fleuves et des étangs.*

Espèces

C. arcticum, originaire du nord de la zone arctique, mesure de 25 à 30 cm de haut. Cette espèce s'étale en petits coussins de feuilles lisses, vert tendre et bordées de grosses dents. La plante se couvre de fleurs en forme de marguerites blanches et se teinte de rose en fin de floraison au mois d'octobre. **S 2**

La forme 'Roseum', de couleur rose tendre est un peu plus haute et fleurit à partir de septembre.

C. coccineum, originaire du Caucase, d'Arménie et d'Iran, fut longtemps connu sous le nom de *Pyrethrum.* Cette plante de 40 à 60 cm de haut offre des coloris très variables. Elle forme des touffes de feuilles bipennatiséquées et porte, en juin et juillet, des fleurs roses, blanches ou rouges. **S 3**

C. coccineum ***'Brenda', aux fleurs très vives.***

C. arcticum ***formera de jolis coussins denses dans un sol bien drainé et en plein soleil.***

C. haradjani, ***au feuillage original, tout en relief.***

Les cultivars, qui sont le résultat de sévères sélections, présentent des coloris bien fixés. 'Duro' a des hampes florales longues et robustes et de grandes fleurs rouge-pourpre brillant. 'Robinson Rouge' et 'Robinson Rose', cultivars déjà anciens, demeurent de belles variétés respectivement rouge grenat et rose tendre à cœur jaune.

C. haradjani (*Tanacetum densum amani*), originaire d'Asie Mineure, mesure de 20 à 30 cm de haut. Cette espèce semi-arbustive s'étale en petits buissons denses. Les jeunes tiges sont feutrées de blanc. Les feuilles, longues de 8 cm, découpées comme de la dentelle, offrent une gamme de couleurs allant du blanc à un vert tirant sur le gris. La floraison, insignifiante, a lieu de juillet à août. **S 4**

C. Hybride regroupe les marguerites d'automne qui proviennent de différents croisements entre *C. indicum, C. koreanum* et *C. rubellum.* La parenté n'étant pas toujours clairement établie, on les appellera de préférence *C.* Hybride. **S 6**

C. leucanthemum, originaire d'Europe et du Caucase, de 40 à 60 cm de haut, est l'espèce la plus hâtive. Proche parente de la marguerite des prés, ses fleurs sont plus grosses, de couleur blanche, avec un cœur jaune. Elles s'épanouissent en mai. **S 7**

Le cultivar 'Reine de mai' est une forme améliorée. Ses fleurs sont plus grandes que celles de l'espèce.

C. maximum, originaire des Pyrénées, est une marguerite de plein été, aux tiges hautes de 60 à 90 cm. Les feuilles, lancéolées et charnues, sont vert foncé. Les fleurs, larges de 10 cm, s'épanouissent de juin à septembre. Cette espèce est à l'origine de nombreux cultivars blancs, d'apparences variées. **S 6**

C. serotinum (*C. uliginosum*), originaire de Tchécoslovaquie et de Hongrie, légèrement drageonnante, est l'espèce la plus vigoureuse des chrysanthèmes. Elle peut atteindre 1,80 m de haut. Les tiges sont rigides et érigées. Les feuilles lancéolées présentent des dents pointues. Les fleurs, en gros bouquets terminaux blancs au cœur jaune-vert, s'épanouissent de septembre à octobre. **S 7**

Culture

C. coccineum ne vivra pas longtemps dans les terres lourdes et humides. Un sol très bien drainé et riche lui convient mieux.

C. haradjani exige un sol sec, en un lieu abrité. Tous les endroits où cette espèce peut s'étaler sur de la pierre lui conviennent car ils lui garantissent la sécheresse dont elle a besoin. Installée sur la terre, elle risque le *Botrytis* car le feuillage ne supporte pas la moindre humidité de surface.

Les hybrides apprécient les terres fertiles et bien drainées. Leur rusticité est moyenne et il faut les planter dans un endroit abrité au nord de la Loire.

C. leucanthemum et *C. maximum* se plaisent dans toutes les bonnes terres de jardin. On évitera cependant à la seconde les terres détrempées pendant l'hiver.

C. serotinum préfère un terrain point trop sec. D'une façon générale, il convient de planter les chrysanthèmes au soleil.

Protéger la souche des hybrides de feuilles mortes et sèches pendant les hivers rigoureux.

CULTIVARS DE *C. MAXIMUM*

Forme	Hauteur	Particularités
'Beauté Nivelloise'	0,80 m	Fleurs à l'aspect ébourriffé
'Clairette'	0,90 m	Fleurs demi-doubles au cœur hérissé
'Petite Princesse d'Argent'	0,40 m	Forme naine, grandes fleurs simples
'Polaris'	1,20 m	Le plus grand, très grandes fleurs simples
'Priesterkragen'	1 m	Fleurs demi-doubles, ébourriffées
'Wirral Suprême'	0,80 m	Grandes fleurs doubles

LA CLASSIFICATION DE *C. MAXIMUM*

Le genre *Chrysanthemum*, créé par Linné, désignait aussi *C. maximum*. Mais certains auteurs, surtout français, adoptent encore la classification du botaniste J.-P. de Tournefort qui désignait cette espèce sous le nom de *Leucanthemum,* appellation qui vient du grec *leukos*, blanc. Cette confusion fut répétée par A.-P. de Candolle qui désignait cette espèce sous le nom de *Leucanthemum maximum.* La règle botanique qui veut que l'on revienne à la première identification consacre donc comme seule appellation valable le nom de *C. maximum.*

'Clara Curtis', un chrysanthème hybride d'un rose lumineux.

C. leucanthemum *se prête aux compositions champêtres printanières.*

Les cultivars aux formes variées de C. maximum *donnent d'excellentes fleurs à couper.*

Multiplication

Les touffes de *C. coccineum* et les hybrides s'étalent facilement mais s'éclaircissent en vieillissant. Rajeunir les souches en les divisant tous les 3 ou 4 ans. Replanter aussitôt les éclats. Bouturer les jeunes rameaux semi-aoûtés de *C. haradjani* en juillet ou en août. Bouturer les pousses de *C. maximum* à la fin de l'été ou semer au printemps.
Prélever les drageons de *C. serotinum* en début d'année.

Dans votre jardin. Plantez *C. arcticum* en dallages fleuris ou dans une grande rocaille associé à *Sedum telephum*. Vous associerez *C. haradjani* avec *Helianthemum, Nepeta, Lavandula...* dans les jardins de graviers, les grandes rocailles, les dallages.
Vous installerez dans vos plates-bandes *C. coccineum, C. maximum* et ses cultivars avec des pavots, des lis, des lupins et des *Delphinium,* et *C. serotinum* au milieu de *Polygonum amplexicaule, Aconitum* et *Aster novae-angliae.*

LES CHRYSANTHÈMES HYBRIDES

Forme	Hauteur	Particularités	Couleur des fleurs
'Apollo'	0,80 m	Grandes fleurs	Rouge brique à cœur d'or
'Ceddie Masson'	0,80 m	—	Pourpre foncé à cœur d'or
'Clara Curtis'	0,60 m	Hâtif, fleurs simples	Rose
'Gold Marianne'	0,80 m	—	Jaune pâle plus clair que le cœur aux reflets cuivrés
'Isabella'	0,80 m	Très rustique	Jaune ocré, saumon à la base et à l'ouverture, devenant crème rosé ; tons très doux
'Kentucky'	0,70 m	Beau feuillage vert sombre, bonne tenue	Roses ; tons doux
'Lady Brockett'	0,70 m	Grandes fleurs, longue floraison	Vieux rose, ocré à l'ouverture, devenant jaune saumoné
'Mary Stoker'	0,60 m	Grand feuillage vert sombre, fleurs simples	Jaune beurre, lavé d'ocre et de saumon
'Orange Wonder'	0,80 m	Petit feuillage, grandes fleurs simples	Tons pastel, saumon ocré
'Soir d'Orient'	0,70 m	Végétation dense, fleurs simples	Violet foncé, joli contraste avec le cœur doré
'White Bouquet'	0,70 m	Superbes fleurs en gros pompons alvéolés	Jaune rosé à l'ouverture, devenant blanc pur, cœur teinté de jaune

CHRYSOGONUM

CHRYSOGONUM - ASTÉRACÉES

S 4

Ce genre créé par Linné vient des mots* chrysos*, or, et* gony*, articulation, car les fleurs de cette plante naissent à l'aisselle des tiges.

C. virginianum ***souffre en période de très grands froids.***

Originaire d'Amérique du Nord, ce genre ne comprend qu'une seule espèce de plante herbacée, vivace.

Espèce

C. virginianum, de 20 à 30 cm de haut pour un étalement de 30 à 50 cm, est une plante aux feuilles pubescentes, vert clair, ovales et longuement pétiolées. Les fleurs jaunes, de 3 à 5 cm de diamètre, apparaissent en mai et se succèdent sans interruption jusqu'à la fin du mois de septembre.

Culture

Cette plante apprécie les sols frais à humides, bien drainés, mais accepte les emplacements secs. Planter au soleil ou à mi-ombre. Elle se propage à l'aide de rameaux radicants.

Multiplication

Éclater les souches en avril, repiquer aussitôt les éclats.

Dans votre jardin. Placez *C. virginianum* dans un lieu d'où elle ne puisse s'évader, dans la rocaille, sur un muret fleuri, en bordure, en jardinière ou au milieu d'un dallage fleuri.

COMMELINA

COMMÉLINA - COMMÉLINACÉES

S 6

Ce genre, créé par Linné, fut dédié à Kaspor et Johann Commelin, botanistes hollandais du XVIIe siècle.

Il existe 150 espèces environ, originaires pour la plupart des zones tropicales et subtropicales du monde. Seule *C. coelestis* est intéressante pour le jardin. Proche des *Tradescantia,* elle n'en a malheureusement pas la rusticité.

Espèces

C. coelestis, originaire des régions méditerranéennes et du Mexique, a une végétation rapide. Elle atteint de 50 à 70 cm de haut et d'étalement. Les feuilles lancéolées à bords ondulés engainent des tiges noueuses. Les petites fleurs étoilées, bleu ciel, qui s'épanouissent de juin à juillet, ont trois pétales comme celles des *Tradescantia virginica.*

Culture

Cette plante n'est pas vraiment rustique au nord de la Loire mais ses splendides fleurs étoilées récompenseront le jardinier de ses efforts. Déterrer ses rhizomes tubéreux en automne et les placer dans un local frais et sec, hors gel. Faire hiverner les commélinas en compagnie des dahlias dans une caissette emplie de toûrbe blonde, légèrement humide afin d'éviter le déssèchement. Planter en mai, dans un sol riche et bien drainé, au soleil.

Les fleurs de C. coelestis *se referment en fin d'après-midi.*

C. caelestris, ***une vivace à cultiver, dans les régions froides, comme un dahlia.***

Multiplication

Semer au printemps ou diviser les rhizomes en fin de saison.

Dans votre jardin. Cette jolie plante forme un très bel ensemble en association avec *Crocosmia masonorum* et des hémérocalles.

COREOPSIS

COREOPSIS – ASTÉRACÉES

S 6, S 7 *(C. tripteris, C. verticillata)*

Le nom de cette plante vient du grec* koris, *punaise, et de* opsis, *apparence. Il rappelle l'aspect des graines qui ressemblent, dans le cas de certaines espèces, à ces insectes.

Ce genre comprend 110 espèces environ de plantes annuelles ou vivaces originaires d'Amérique du Nord. Ces plantes érigées et buissonnantes ont des feuilles opposées, vert tendre. Les fleurs, souvent jaunes, apparaissent du début du printemps au milieu de l'été. Les espèces décrites ci-dessous, vivaces et rustiques, connaissent une floraison jaune et lumineuse.

Espèces

C. auriculata, originaire des États-Unis, mesure de 60 à 80 cm de haut. Cette plante drageonnante a des tiges poilues et des fleurs solitaires, jaune foncé, de juin à août.

C. grandiflora, originaire des États-Unis, mesure de 60 à 80 cm de haut pour un étalement de 40 à 50 cm. Les feuilles lancéolées ont de 3 à 5 pennes. Les tiges longues et glabres portent des fleurs aux pétales jaune d'or, découpés sur les bords, qui s'épanouissent de juin à août. De nombreux cultivars sont nés de cette espèce. 'Badengold', aux fleurs jaunes plus grandes que l'espèce, mesure 80 cm ; 'Domino' qui ne dépasse pas 40 à 50 cm, a des fleurs jaunes d'or à cœur brun ; 'Étoile d'or', ramifié et compact, est couvert de fleurs moyennes de mai à septembre ; 'Goldfink', aux fleurs jaune d'or, a une végétation naine qui ne dépasse pas 25 cm ; enfin, 'Sunray', d'une hauteur de 30 à 40 cm, montre des fleurs doubles ou semi-doubles, jaune d'or, de juin à octobre.

C. lanceolata, originaire du nord de l'Amérique, a une hauteur et un étalement de 40 à 60 cm. Ses feuilles non divisées sont lancéolées. Les fleurs, portées par de longues tiges et larges de 4 à 6 cm, d'un jaune lumineux, apparaissent de juin à août. Le cultivar 'Sonnenkind', haut de 30 à 40 cm, forme une touffe buissonnante, aux fleurs jaune d'or.

C. tripteris, originaire des États-Unis, de plus de 1,70 m de haut, produit des tiges raides et élancées qui se ramifient en hauteur. Les feuilles divisées en 3 folioles sont lancéolées. Les fleurs, jaune clair à cœur brun, s'épanouissent de juillet à septembre.

C. verticillata, originaire des États-Unis, est une très belle plante, haute de 60 à 80 cm. Cette plante buissonnante a une souche rhizomateuse, faiblement drageonnante, et de nombreuses tiges peu ramifiées. Celles-ci portent des feuilles engainantes à lobes très étroits qui donnent à la plante un aspect léger. Les nombreuses fleurs terminales sont jaune d'or. Le cultivar 'Moonbeam', au port plus diffus et étalé, possède des fleurs jaune pâle qui tranchent admirablement sur le feuillage vert sombre.

Les fleurs coupées de C. grandiflora *tiennent jusqu'à deux semaines en vase.*

C. grandiflora *fleurit tout l'été dans les plates-bandes ensoleillées.*

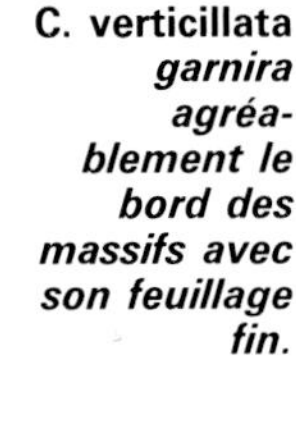

C. verticillata ***garnira agréablement le bord des massifs avec son feuillage fin.***

Culture

Les coréopsis, très populaires, se rencontrent dans tous les jardins et dans tous les sols. Cependant, on obtiendra de meilleurs résultats pour *C. grandiflora* dans un sol sec, poreux et bien drainé. Un sol gardant un peu de fraîcheur durant l'été convient mieux à *C. lanceolata*. Ces deux plantes apprécient une exposition chaude et ensoleillée. Rabattre en septembre afin de provoquer l'apparition de nouvelles pousses avant l'hiver. On assure ainsi la pérennité des souches.
Planter *C. tripteris* et *C. verticillata* dans des sols frais et humifères, bien drainés, au soleil, ou éventuellement à mi-ombre pour la première espèce.

Multiplication

Diviser les touffes au printemps. Replanter aussitôt les éclats vigoureux. Effectuer cette opération tous les 3 ans pour *C. grandiflora* et *C. lanceolata* afin de les rajeunir.

Dans votre jardin. *C. tripteris* trouvera place au sein de plates-bandes ensoleillées ou mi-ombragées, associé à *Echinacea purpurea*, à des monardes, des phlox et des asters. On installera *C. verticillata* au soleil et en compagnie de *Liatris spicata* et de *Sidalcea*.

CRAMBE

CHOU – BRASSICACÉES

S 7 *(C. cordifolia)*, S 3 *(C. maritima)*

Connu depuis le XVIIe siècle, le chou marin est une plante potagère. Utilisé comme légume, sa saveur est voisine du chou-fleur.

Ce genre comprend 25 espèces de plantes herbacées, annuelles ou vivaces, originaires d'Europe, d'Afrique tropicale et d'Asie. Ces plantes présentent des tiges épaisses, un feuillage glauque et des fleurs blanches réunies en grosses panicules ou en grappes.

Espèces

C. cordifolia est originaire du Caucase, d'Iran et d'Afghanistan. Cette plante spectaculaire mesure parfois plus de 2 m de haut et occupe plus de 1 m^2 au sol. Les très grosses feuilles, rondes et en forme de cœur à dents irrégulières, teintées de violet en début de végétation, deviennent par la suite vert sombre. Les fleurs blanches et odorantes, portées en corymbes terminaux, s'épanouissent en juin.
C. maritima est originaire des côtes d'Europe. Le chou marin a une souche charnue, ramifiée et ronde, à plusieurs têtes. Plus petit que l'espèce précédente, il ne dépasse guère 50 à 70 cm de haut et autant de large. Les feuilles épaisses et glabres ont des bords dentelés et ondulés de couleur vert bleuté. Les fleurs blanches, un peu plus grandes que celles de l'espèces précédente, portées en corymbes ramifiés et érigés, s'épanouissent de mai à juin.

C. cordifolia *et* C. maritima *sont mellifères.*

C. cordifolia ***se couvre de milliers de fleurs blanches à la fin du printemps.***

Culture

Installer ces plantes à l'automne ou au printemps dans les régions humides, en plein soleil, dans une terre bien drainée.
C. cordifolia se plaît dans tous les sols profonds et riches, même calcaires.
C. maritima préfère nettement les terres sableuses mais pas trop sèches pendant la période de végétation.

Multiplication

Semer des graines mûres ou bouturer les racines au printemps.

Dans votre jardin. *C. cordifolia* sera splendide si vous le plantez isolément.
C. maritima convient mieux aux petits jardins, en compagnie des graminées et de *Eryngium maritimum*...

CROCOSMIA

CROCOSMIA - IRIDACÉES S 8

***Crocosmia** vient du grec **crocus**, safran, et de **osme**, odeur. Cette dénomination rappelle l'odeur de safran très prononcée que dégagent les fleurs sèches lorsqu'on les plonge dans l'eau.*

Il existe 6 espèces de plantes bulbeuses ou rhizomateuses, originaires des régions australes et tropicales de l'Afrique. Les deux espèces décrites ci-dessous sont rustiques et vivaces.

Espèces

C. x crocosmiiflora, de 60 cm de haut, plus connue sous le nom de *Montbretia,* recouvre un large éventail d'hybrides plus ou moins naturels. Certains furent découverts il y a plus d'un siècle mais, depuis lors, beaucoup d'autres ont été créés. Les fleurs, en forme de trompette, longues de 3 à 4 cm, apparaissent de juillet à septembre. Les couleurs varient d'un hybride à l'autre et peuvent aller du jaune citron au rouge grenat.

C. masonorum, originaire d'Afrique du Sud, mesure 1 m de haut. Les nouveaux cormus, qui apparaissent sur les longues racines souterraines, lui permettent de se multiplier. Les feuilles lancéolées ont un aspect plissé. Les fleurs, orange, très largement ouvertes, sont disposées le long des hampes arquées et se succèdent de juillet à août.

Culture

Planter dans un sol léger et bien drainé, que l'on arrosera beucoup pendant l'été, à une distance de 15 à 20 cm pour *C. x crocosmiiflora* et de 20 à 25 cm pour *C. masonorum.*

Au nord de la Loire, on installera ces plantes en plein soleil, au pied d'un mur exposé au sud. Recouvrir d'un lit de feuilles mortes sèches à l'approche des fortes gelées. Couper les tiges défleuries.

Multiplication

Récolter les graines mûres à l'automne, semer aussitôt dans un mélange sableux. Installer sous châssis froid. Diviser les cormus au printemps. Cette opération, plus facile que le semis, est indispensable pour les cultivars.

Dans votre jardin. Installez les crocosmias en bordure de plates-bandes, au sein d'un dallage fleuri, parmi d'autres plantes vivaces basses à feuilles larges comme les acanthes, les catananches ou les centaurées.

Le montbrétia partage les sols secs avec la scabieuse.

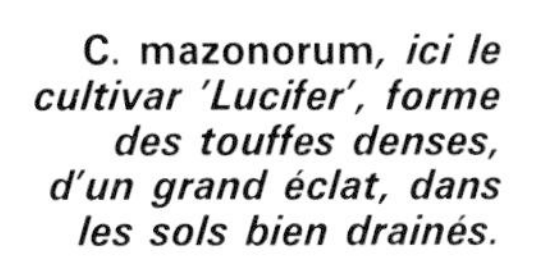

C. mazonorum, *ici le cultivar 'Lucifer', forme des touffes denses, d'un grand éclat, dans les sols bien drainés.*

CYNARA

ARTICHAUT - ASTÉRACÉES

S 7

Le genre comprend 14 espèces de plantes vivaces de haute taille, originaires de diverses zones tempérées du monde. Les capitules de fleurs, à la base charnue, sont hérissés vers le haut en toupets de fleurs pourpres, violettes, bleues ou blanches.

Espèce

C. cardunculus, originaire des régions méditerranéennes et d'Amérique du Sud, possède des tiges hautes de 1 m à 1,30 m, épaisses et érigées, couvertes de poils. Les feuilles de 50 à 80 cm de long, qui peuvent dépasser 1 m, couvrent plus de 1 m^2 de sol. Poilues sur le dessus et laineuses au revers, elles sont gris argenté et très profondément découpées. Les capitules solitaires, petits artichauts cylindriques de 4 à 5 cm de diamètre, groupent des fleurs bleues, d'août à septembre.

C. cardunculus ***se distingue par son beau feuillage profondément découpé.***

Culture

Planter en sol profond, argileux et riche mais bien drainé, surtout l'hiver, en exposition chaude et ensoleillée au nord de la Loire. En automne, attacher les tiges et recouvrir le sol d'un lit de paille ou de feuilles mortes et sèches pour que le gel et l'humidité ne pénètrent pas la souche.

Multiplication

Semer au printemps. Les hampes florales n'apparaissent qu'au cours de la deuxième année de plantation.

Dans votre jardin. Vous réserverez *C. cardunculus* aux grands jardins, où il sera superbe en plantation isolée. Le feuillage est utilisé par les fleuristes pour son originalité. Les fleurs cueillies lorsqu'elles s'ouvrent s'épanouissent dans l'eau et peuvent servir à la confection de bouquets secs.

DELPHINIUM

PIED D'ALOUETTE - RENONCULACÉES

S 7, S 5 *(D. x belladonna, D. pylzowianum)*

Delphinium ***vient du latin*** **delphinus,** ***dauphin. Les fleurs en boutons ressemblent en effet à ce mammifère marin.***

En Perse, les fleurs de D. zazil *servaient autrefois à teindre la soie.*

Ce genre compte plus de 400 espèces de plantes herbacées, annuelles ou vivaces, originaires des zones tempérées de l'hémisphère Nord. Les espèces vivaces présentent des rhizomes épais et tubéreux, des feuilles divisées en 3 lobes, et des inflorescences en grappes ou en épis. Ce sont aussi bien des plantes des forêts montagnardes que des régions sèches et steppiques. Les espèces décrites ici, de même que leurs hybrides, comptent parmi les plantes vivaces fleuries les plus importantes.

Espèces

D. x belladonna, groupe des hybrides hauts de 80 cm à 1,40 m. Ces plantes, à tiges très ramifiées, portent des fleurs lâches et gracieuses, de culture facile.

D. Hybride (groupe Elatum) rassemble des hybrides de haute taille, élégants par leurs inflorescences raides qui ressemblent à des cierges. Ils s'épanouissent de juin à août et remontent de septembre à octobre si les hampes ont été rabattues après la floraison. 'Blauwal', d'une hauteur de 2 m, possède des fleurs bleues à mouche brune ; 'Finsteraarhorn', haut de 1,70 m, montre des fleurs bleu foncé à mouche brune ; 'Ouverture', bien qu'un peu plus petit que les autres, avec 1,60 m de haut, montre de splendides fleurs bleu moyen, avec des reflets roses à mouche brune, qui s'épanouissent tôt.

D. Hybride (groupe Pacific) rassemble des hybrides aux grosses fleurs souvent demi-

Les hybrides du groupe Pacific nécessitent un léger tuteurage.

D. zalil *offre un coloris rare.*

La silhouette des delphiniums est indispensable à l'équilibre des plates-bandes vivaces. Dans ce jardin blanc, ils accompagnent lupins et camomilles doubles.

doubles. Malgré leur poids, les grappes abondantes pendent à peine lorsqu'il y a du vent ou de la pluie à condition que l'on ait pris la précaution de tuteurer légèrement le pied sur une hauteur de 60 à 70 cm.

D. pylzowianum, en touffes ramifiées, mesure 50 cm de haut et présente un feuillage profondément découpé. Les grandes fleurs bleu violacé à longs éperons s'épanouissent de juin à août.

D. zalil (*D. sulphureum*), originaire d'Iran, d'Afghanistan et du nord de l'Inde, a une hauteur très variable, de 80 cm à 2 m, suivant la nature du sol. Cette plante aux rhizomes tubéreux présente des feuilles très finement découpées. Les tiges florales très minces et ramifiées portent des épis très lâches de fleurs jaune clair. Après la floraison en juin et juillet, la plante disparaît. Le rhizome doit alors être protégé de l'humidité et des coups de binette intempestifs jusqu'à l'apparition des nouvelles pousses au printemps suivant.

Culture

Hormis les conditions de culture spécifiques à chaque espèce, en règle générale, ces plantes seront placées au soleil, dans des sols bien drainés. Du fait de leur hérédité, les *D. x belladonna* préfèrent des sols riches et des expositions chaudes.

Cultiver les groupes Elatum et Pacific dans un sol riche et humifère.

Installer *D. pylzowianum* dans un sol léger et *D. zazil* dans un sol sableux et humifère.

Les touffes se creusent au bout de 2 à 4 ans. Les plantes sont alors moins florifères et ont besoin d'être rajeunies. Déterrer les souches au printemps, en moyenne tous les 3 ans. Les diviser en éclats possédant 3 yeux bien formés et quelques racines. Prélever de préférence les tronçons à la périphérie de la souche: ils seront plus jeunes et plus florifères. Les replanter aussitôt dans un sol préalablement enrichi d'un engrais organique.

Multiplication

Hormis la division des touffes, le semis des espèces est facile au printemps, en caissette.

Dans votre jardin. Vous planterez *D. belladonna* en plates-bandes avec les pivoines et les lis asiatiques, ou en culture pour disposer de fleurs à couper. Vous associerez les hybrides des groupes Elatum et Pacific avec des arbustes tels que *Philadelphus, Deutzia* et des rosiers buissons. Dans les plates-bandes mixtes, ils sont splendides aux côtés de *Lychnis chalcedonica, Chrysanthemum maximum, Heliopsis scabra... D. pylzowianum* occupera le premier plan d'une bordure mixte.

LES HYBRIDES DE *D. x BELLADONA*

Variété	Hauteur	Particularités	Couleur des fleurs
'Casa Blanca'	1,50 m	—	Blanc pur
'Connecticut Yankee'	0,80 m	Buissonnant, vit peu de temps	Divers tons de bleu
'Lamartine'	0,80 m	—	Bleu foncé, mouche brune
'Moerheimi'	1 m	—	Blanc, mouche jaunâtre
'Petite Musique de Nuit'	1 m	Fleurs très élégantes	Lilas
'Piccolo'	0,80 m	Floraison dense	Bleu azur
'Völkerfrieden'	1 m	Floraison splendide	Bleu gentiane à œil violet

LES HYBRIDES DU GROUPE PACIFIC

Forme	Hauteur	Couleur de la mouche	Couleur des fleurs
'Astolat'	1,80 m	Noire	Tons roses
'Black Night'	1,80 m	Noire	Violet foncé
'Blue Bird'	1,80 m	Blanche	Bleu vif
'Blue Jay'	1,80 m	Noire	Bleu clair
'Cameliard'	1,80 m	Blanche	Lavande
'Galahad'	1,20 m	—	Blanc pur
'Guinevere'	1,80 m	Blanche	Rose malvacé
'King Arthur'	1,80 m	Blanche	Violet foncé
'Summer Skies'	1,80 m	—	Bleu clair

MALADIES ET RAVAGEURS DES DELPHINIUMS

Ces plantes, lorsqu'elles sont installées dans un sol qui leur convient ne sont pratiquement jamais malades. Toutefois, dans des terres trop sèches, il y a toujours un risque de voir se développer l'oïdium. On le traitera avec un fongicide à base de *bénomyl.* Une situation humide favorisera le développement de la fusariose ou de la pourriture du collet, maladies contre lesquelles on ne peut guère lutter sinon en plantant les delphiniums dans un sol mieux drainé. Les limaces peuvent faire, au printemps, au moment de l'apparition des nouvelles feuilles, de nombreux ravages. Installer des pièges contenant des appâts granulés, à base de métaldéhyde.

D. plumarius *craint l'excès d'humidité en hiver.*

DIANTHUS

ŒILLET - CARYOPHYLLACÉES S 4

Dianthus *vient des mots grecs* dios, *divin, et* anthos, *fleur. Ces « fleurs divines » furent baptisées ainsi par Théophraste en raison de leur parfum suave et de leur grande beauté.*

Il existe environ 250 espèces d'œillets, annuelles, bisannuelles, vivaces ou semi-arbustives, originaires de l'hémisphère Nord, et principalement d'Europe. Ces plantes basses, qui poussent en coussins ou en buissons lâches, ont des feuilles semblables à celles des graminées. La plupart aiment le calcaire.

Espèces

D. plumarius, originaire de l'est et du centre de l'Europe, forme des coussins denses de 30 à 40 cm de haut pour un étalement de 30 à 50 cm. Les tiges ligneuses, au ras du sol, portent des feuilles vert glauque, pointues, fines et longues, de 5 cm. Les tiges, ramifiées, ont 2 à 5 fleurs plumeuses blanches ou roses, très odorantes, qui s'épanouissent de juin à juillet. Il existe des hybrides créés avec *D. gratianopolitanus* et *D. caryophyllus* donnant des *D. x allwoodii.*

D. superbus, originaire d'Europe, de Sibérie et de Mandchourie, est une plante gazonnante, au ras du sol, dont les tiges lâches, aux feuilles vertes, ressemblent à celles des graminées. En émergent, de juin à septembre, des tiges érigées de 30 à 60 cm de haut qui portent de grosses fleurs laciniées en épis lâches, lilas clair ou rose pâle, très odorantes.

D. P. *'Betty Galaway' forme un tapis de feuillage fin et 'Princesse Christiana' un coussin vigoureux.*

HYBRIDES DE *D. PLUMARIUS* ET *D. GRATIA NAPOLITANUS*

Cultivar	Forme et caractéristiques des fleurs	Couleur des fleurs
'Betty Galaway'	Simple	Pourpre violacé à grand œil rose clair
'Diadème'	Double	Rouge carminé
'Diamant'	Double	Blanc pur
'Diane'	Double	Rose
'Gitane'	Double	Rouge ardent
'Morgenlicht'	Double	Rose saumoné brillant
'Princesse Christiana'	Simple	Blanche à œil pourpre
'Roodkapje'	Double - Très abondantes	Rouge
'White Reserve'	Double - Grosses et remontantes	Blanche

Culture

Les œillets se plaisent en exposition ensoleillée en tous terrains secs, même maigres, caillouteux et calcaires. Ils supportent également des terres riches si celles-ci sont bien drainées. Couper les inflorescences dès qu'elles sont défleuries pour reformer une belle touffe. Planter à l'automne ou au printemps tous les 30 cm.

Multiplication

Il est facile de multiplier les œillets par marcottage des tiges basses, par division des touffes en automne, vers novembre lorsque celles-ci sont âgées ou par semis au printemps pour les espèces.

Dans votre jardin. Les œillets sont souvent réservés à la rocaille, mais les espèces décrites ci-dessus trouveront place au premier plan des plates-bandes, en jardin de graviers ou en dallage fleuri, associées aux *Gypsophila, Potentilla aurea, Linum,* campanules et *Artemisia schmidtiana.*

D. x allwoodii *'Ine'.*

DICTAMNUS

FRAXINELLE/PLANTE AUX ÉCLAIRS - RUTACÉES

S 5

Ce genre, créé par Linné, est dérivé du grec* dictamnos, *nom utilisé par Hippocrate pour désigner la fraxinelle.

Une seule espèce compose ce genre originaire d'Europe du Sud, de Chine du Nord et de Corée. Les fruits contiennent une essence très volatile qui, parfois, lors de journées très chaudes, s'enflamme spontanément sans endommager la plante.

Espèce

D. albus, de 60 cm à 1,20 m de haut, présente une souche robuste, presque ligneuse et de nombreuses tiges solides souvent peu ramifiées. Les fleurs, en épis terminaux symétriques, sont souvent roses avec une nervure sombre.

Cette espèce possède une forme, 'Albiflorus', dont les fleurs sont blanches.

Culture

La fraxinelle ne fleurira souvent qu'au bout de 3 ou 4 ans. Elle aime le plein soleil, un terrain sec et calcaire, très bien drainé et la chaleur.

Multiplication

Diviser les touffes au printemps après 5 à 7 ans de culture.

Dans votre jardin. Cette plante vit très longtemps, mais elle est souvent décevante au nord de la Loire dans les sols lourds et froids. Elle végète lamentablement, sans mourir, mais sans réussir à être belle car la situation n'est pas suffisamment chaude.

D. albus ***recherche les expositions chaudes.***

Les fraxinelles, ici la forme 'Albiflorus', sont appréciées pour leur grâce et la délicatesse de leur feuillage.

DIERAMA

DIÉRAMA – IRIDACÉES **S 8**

Le nom de ce genre, donné par Koch, est dérivé du grec* dierama*, entonnoir, par allusion à la forme des fleurs.

Ce genre, qui comprend plus de 25 espèces, était autrefois confondu avec les genres *Ixia* et *Sparaxis*, originaires d'Afrique. Seules quelques espèces peuvent s'acclimater dans les jardins. Ces plantes en touffes rappellent tout à fait le port des graminées.

Espèce

D. pendula, originaire d'Afrique du Sud, est une espèce à souche tubérisée qui atteint 1 m à 1,20 m de haut pour 50 à 70 cm de large. Les feuilles, minces et pointues comme celles des graminées, partent du sol. Les hampes minces et délicatement arquées portent de nombreuses fleurs en forme de clochettes, blanches, roses (le plus souvent) ou rouges, qui s'épanouissent en juillet et août.

Culture

Cette espèce aime les sols très bien drainés mais riches, une exposition ensoleillée. La chaleur lui est nécessaire pour une bonne floraison. Au nord de la Loire, rabattre la touffe avant l'hiver et la protéger du gel par une litière de feuilles mortes et sèches. Planter, de préférence, au printemps.

D. pendula ***: des épis roses sur des tiges grêles.***

Multiplication

Diviser les touffes au printemps tous les 3 à 4 ans et replanter aussitôt les éclats.

Dans votre jardin. Vous associerez les diéramas en plates-bandes ou jardins de graviers avec des iris, parmi des graminées où elles surprendront par leur jolie floraison.

DRACOCEPHALUM

TÊTE DE DRAGON – LAMIACÉES **S 7**

Le* Dracocephalum *tire son nom des mots grecs* drakon*, dragon, et* kephale*, tête. La corolle béante des fleurs rappelle en effet une tête de dragon.

Ce genre se compose d'environ 45 espèces de plantes herbacées, annuelles ou vivaces et de sous-arbrisseaux, toutes originaires d'Europe centrale, d'Asie, sauf une qui vient d'Amérique du Nord. Les feuilles sont entières, dentées ou grossièrement découpées. Les fleurs axilliaires ou groupées en épis terminaux sont pourpres, bleues ou, parfois, blanches.

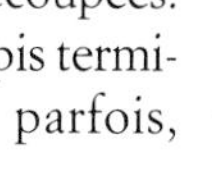

Espèce

D. ruyschiana, originaire d'Europe et d'Asie, mesure de 30 à 50 cm de haut pour un étalement semblable. Cette plante possède des tiges érigées, munies de poils courts et des feuilles linéaires, lancéolées, à bordure recourbée. Les fleurs, portées par des tiges minces en épis terminaux sont généralement de couleur bleu-violet, plus rarement roses ou blanches, et s'épanouissent en juillet et en août.

Culture

Planter au printemps dans un sol sec et sableux, en exposition ensoleillée ou dans une situation légèrement ombragée.

Multiplication

Diviser les touffes au printemps tous les 3 à 4 ans.

Dans votre jardin. *D. ruyschiana* trouvera sa place au sein d'un dallage, dans un jardin de graviers ou en bordure en compagnie de *Achillea,* potentilles, *Helianthemum* et *Inula ensifolia*.

***Les fleurs groupées en épis terminaux duveteux du* dracocephalum.**

ECHINACEA

ÉCHINACÉA - ASTÉRACÉES

S 7

Échinacea *vient du grec* echinos, *hérisson, allusion à l'aspect hérissé de ses capitules.*

Ce genre comprend 3 espèces de plantes vivaces, herbacées et rustiques. Proches parentes des *Rudbeckia,* elles s'en différencient principalement par leur couleur.

Espèces

E. purpurea, originaire d'Amérique du Nord, mesure de 80 cm à 1,20 m pour un étalement de 40 à 50 cm. Les feuilles sont lancéolées, rugueuses et légèrement dentées. Les tiges ramifiées portent des fleurs solitaires en forme de pâquerettes de 7 à 10 cm de large, pourpres à cœur orangé.

Il existe plusieurs cultivars qui ont les mêmes caractéristiques que l'espèce. 'Abensonne' a des fleurs rouge carminé, tandis que 'White Lustre' se caractérise par ses ligules blanches. 'Magnus' possède des fleurs plus rouges et beaucoup plus grandes que l'espèce.

Culture

Planter à l'automne ou au printemps dans un sol riche, bien drainé et bien exposé au soleil.

E. purpurea *demande un sol pas trop sec en été.*

Echinacea purpurea *'Abendsonne'.*

Multiplication

Semer au printemps, en caissette, à une température de 18 à 20 °C. Au printemps, l'échinacéa se multiplie facilement par division des souches tous les 4 à 5 ans. *E. p.* 'Magnus' se reproduit par semis.

Dans votre jardin. Les échinacéas se plaisent dans les plates-bandes herbacées. Comme elles se tiennent bien droites, elles accompagneront au soleil des achillées jaunes ou des graminées.

Les pétales retombants de l'échinacéa confèrent à cette plante un aspect inhabituel.

ECHINOPS

BOULE BLEUE et CHARDON BLEU – ASTÉRACÉES

S 7

***Echinops** vient du mot grec **echinos**, hérisson, appellation liée au fait que les fleurs, serrées en capitules sphériques, sont hérissées à leur apparition.*

E. sphaerocephalus *épanouit ses fleurs à parfois plus de 2 m de hauteur.*

Le genre comprend environ 25 espèces originaires d'Asie, des Balkans et de l'Europe. Ces plantes vivaces très résistantes, à fleurs de chardon et au port érigé, sont de taille moyenne à haute. Les fleurs terminales sont groupées en capitules solitaires et ronds de couleur bleue ou blanchâtre.

Le cultivar E. r. *'Veitchs Blue' connaît une floraison intense et remontante en fin de saison.*

Espèces

E. bannaticus, originaire du sud de l'Europe, est une plante de 1 m à 1,50 m de haut aux tiges épaisses, légèrement feutrées de gris. Les feuilles, vert glauque sur le dessus, sont feutrées de gris au revers ; les plus hautes sont découpées en folioles, les plus basses sont engainantes autour de la tige. Les grands capitules de fleurs bleues s'épanouissent de juillet à août. Le cultivar 'Blue Globe' donne des fleurs bleu foncé réunies en très gros capitules sphériques.

E. ritro, originaire d'Europe, est l'espèce la plus courante. De 50 cm à 1,20 m de haut, cette plante porte des feuilles vert glauque et glabres sur le dessus, couvertes d'un feutrage argenté au revers. Les capitules sphériques, bleu acier, mesurent de 2 à 4 cm de diamètre. La floraison a lieu de juillet à septembre.

E. sphaerocephalus, originaire d'Europe, de Sibérie et du Caucase, est une espèce très vigoureuse pouvant dépasser 2 m de haut pour 1 m de large. Les feuilles découpées, lancéolées, épineuses, sont vert grisâtre sur le dessus et couvertes d'un feutrage gris au revers. Les capitules énormes, de 7 à 12 cm de diamètre, blanc-gris à bleu-gris, s'épanouissent de juillet à août.

Culture

Toutes ces plantes aiment le soleil et un sol bien drainé. Planter à l'automne ou au printemps dans tout terrain plutôt sec.

Multiplication

Semer en caissette, au printemps, à une température de 16 à 18 °C.

Dans votre jardin. Ces plantes de plates-bandes chaudes et ensoleillées accompagneront des graminées, des achillées, *Dictamnus albus*...

On utilisera **E. ritro** *dans les plates-bandes, parmi les graminées où ses fleurs bleu acier prendront toute leur valeur.*

Le cultivar E. s. *'Niveus' possède des fleurs d'un beau blanc pur.*

EREMURUS

CIERGE DES STEPPES et AIGUILLE DE CLÉOPÂTRE - LILIACÉES S 8, S 3

Eremurus *vient du grec* eremos, *solitaire, et de* oura, *queue, allusion aux hampes florales qui s'épanouissent en épis uniques.*

Quelque 20 espèces herbacées, vivaces, originaires d'Asie centrale et d'Asie de l'Ouest composent le genre. Ces plantes rustiques, très décoratives, peuvent, suivant les espèces, atteindre une hauteur de 3 m. Les racines fasciculées sont charnues et cassantes ; les fleurs en épis, grands comme des cierges, sont toujours spectaculaires.

Espèces

E. himalaicus, originaire de l'Himalaya et du Cachemire, est une plante de 1,20 à 1,80 m de haut pour 40 à 60 cm d'étalement. Les feuilles qui partent du sol, longues de 30 à 45 cm et larges de 5 cm, sont vert lumineux, à bords légèrement épineux. Les fleurs de 2 à 3 cm de large, blanches à cœur jaune, portées en épis de 60 à 80 cm de long, apparaissent en mai et juin.

E. olgae, originaire d'Iran, est une plante pouvant dépasser 2 m de haut. Les feuilles gris bleuté sont charnues et lancéolées. Les tiges, très longues et épaisses, portent de nombreuses fleurs rose pâle à cœur jaune et brun, de juillet à août.

E. robustus, originaire du Turkestan, est une espèce vigoureuse dépassant souvent 2,50 m de haut. Les feuilles vert glauque sont larges de 5 cm et longues de 40 cm. L'épi mesure 1 m de haut. Les fleurs, larges de 4 cm, sont roses lorsqu'elles sont en bouton et deviennent presque blanches, tachetées de brun, lorsqu'elles s'ouvrent, en juin et juillet.

E. stenophyllus, originaire d'Iran et d'Afghanistan, est une plante d'environ 1 m de haut. Les feuilles étroites et linéaires ressemblent à celles des graminées. Les fleurs, larges de 2 cm, de couleur jaune foncé, s'épanouissent en hampes de 40 cm de haut de juin à juillet. Cette espèce est rare en culture.

E. stenophyllus ssp *stenophyllus* (*E. bungei*) est une plante ressemblant à l'espèce précédente, mais plus grosse à tous points de vue. Les fleurs jaune canari à cœur orange sont très serrées.

Culture

Ces plantes aiment les terres profondes, riches, bien drainées, et qui sont exposées en plein soleil. Lorsque la terre est lourde, ajouter de la tourbe et du sable à l'endroit de la plantation sur 25 à 30 cm de profondeur.

Planter seulement les eremurus de l'été à

E. stenophyllus *hybride, en compagnie de lis orange.*

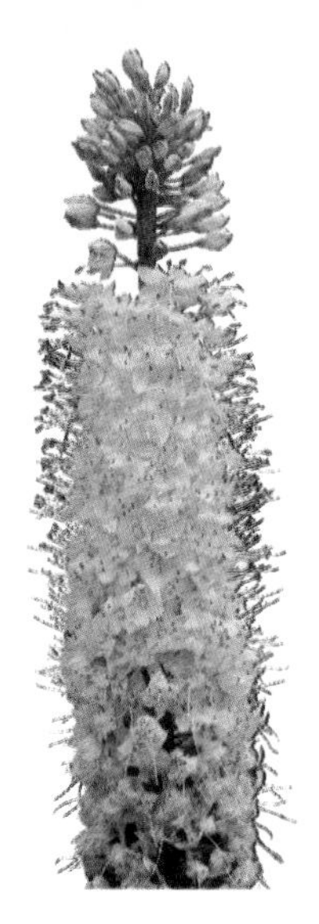

E. himalaicus.

l'automne en veillant à ne pas enterrer les racines de plus de 15 cm et en prenant soin de bien les étaler.

Ajouter du sable pur autour et en dessous pour assurer un bon drainage.

Multiplication

La propagation par division des souches en fin d'été est une opération délicate. On repérera bien les zones de clivage entre les yeux et on manipulera délicatement les racines très cassantes que l'on replantera aussitôt.

Pour obtenir un grand nombre de plantes, le semis sera fait en caissette dès la maturité des graines, à la fin de l'été. Entreposer la caissette dans un endroit chaud à une température de 25 à 30 °C. Le terreau doit rester très humide. Après 4 ou 5 semaines, entreposer la caissette sous un châssis froid durant tout l'hiver. La germination aura lieu au printemps suivant.

Dans votre jardin. Vous installerez ces plantes isolément ou en plates-bandes en compagnie de *Papaver orientale, Anchusa, Asphodelus* et *Kniphofia.*

ERIGERON

VERGERETTE – ASTÉRACÉES S 4

Le nom d'Erigeron, donné par Linné, viendrait des mots grecs* orion, *poil, et* geron, *vieillard, par allusion aux soies blanches des aigrettes. Le mot pourrait aussi avoir pour origine* Eriogon, *nom donné par Théophraste à une composée.

La floraison du cierge des steppes n'interviendra que de 4 à 6 ans après le semis.

Environ 150 espèces de plantes herbacées annuelles, bisannuelles et vivaces originaires d'Asie Mineure et d'Amérique du Nord composent le genre. Seules quelques espèces ont une valeur ornementale. Ces plantes basses ou mi-hautes portent des feuilles entières, disposées en rosettes à la base et alternes sur les tiges. Les capitules de fleurs, solitaires ou réunis en corymbes, ressemblent à ceux des asters.

CULTIVARS DE *ERIGERON*

Cultivars	Caractéristiques
'Adria'	Grandes fleurs demi-doubles bleu violacé brillant
'Bijou rose'	Fleurs demi-doubles roses
'Felicity'	Très florifère ; grandes fleurs roses
'Foersters Liebling'	Fleurs demi-doubles rouge rosé
'Struwelpeter'	Fleurs doubles lilas foncé
'Violetta'	Fleurs demi-doubles violet foncé
'Wuppertal'	Fleurs demi-doubles lilas foncé

Les érigérons hybrides s'épanouissent à la fin du printemps.

Hybrides

Les érigerons hybrides sont des plantes de 50 à 70 cm de haut, aux tiges abondamment pourvues de feuilles lancéolées. Les capitules de fleurs sont disposés en corymbes abondants.

Culture

Les vergerettes aiment les terrains profonds, riches, ni trop lourds ni trop humides, exposés en plein soleil. Planter à l'automne ou au printemps à raison de 5 à 6 pieds au mètre carré.

Multiplication

Bouturer les tiges ou diviser les touffes en février ou mars.

Dans votre jardin. Les formes hybrides sont plus ornementales que les espèces botaniques. Elles donnent de bonnes fleurs à couper et forment d'agréables compositions au sein de plates-bandes associées aux *Rudbeckia, Helenium, Heliopsis, Monarda, Phlox* et aux gypsophiles.

ERODIUM

BEC DE GRUE - GÉRANIACÉES

S 4

Comme le géranium et le pélargonium,* Erodium *tire son nom d'un oiseau à long bec. En grec,* erodios *signifie héron. Il s'agit là d'une allusion au fait que la forme des fruits évoque celle du bec de cet oiseau.

Le genre, très proche des géraniums, compte une soixantaine d'espèces originaires des régions tempérées et subtropicales. Ces plantes herbacées ne sont pas toutes rustiques.

Espèce

E. manescavii, originaire des Pyrénées, est une plante de 30 à 50 cm de haut pour un étalement identique. Les feuilles pennées sont grandes, vert foncé et velues. Les ombelles de 3 à 10 fleurs de 3 cm de large, rouge magenta, s'épanouissent de juin à septembre.

Quelques espèces à petit développement trouveront place dans la rocaille.

Culture

Cette plante aime les terrains poreux, riches, y compris calcaires. Ceux-ci, toutefois, devront être secs, voire frais, pendant la période de végétation. En revanche, le bec de grue déteste l'excès d'humidité en hiver ainsi que les terres collantes et mal oxygénées.

E. manescavii, ***une plante robuste de terrain sec.***

Multiplication

Si les conditions lui conviennent, cette plante se ressème d'elle-même. Prélever les plantules au printemps et repiquer aussitôt à l'endroit choisi.

Dans votre jardin. L'espèce décrite est une très bonne plante pour les plates-bandes. D'une bonne rusticité, elle trouvera place en tout lieu ensoleillé ou mi-ombragé.

ERYNGIUM

PANICAUT - APIACÉES

S 7, S 6 *(E. amethystinum)*

Le nom d'*Eryngium*, repris par Linné, vient du grec* eringion*, nom donné par Théophraste à ces plantes connues depuis l'Antiquité.

Environ 220 espèces de plantes herbacées, souvent vivaces, originaires des régions tempérées et surtout du pourtour méditerranéen, composent ce genre. Ce sont des plantes de taille moyenne ou grande, à racines charnues s'enfonçant profondément en terre. Les feuilles en rosettes, quelquefois très découpées et épineuses, coriaces, sont souvent brillantes. Les inflorescences cylindriques ou sphériques sont entourées de bractées très découpées.

E. p. 'Argenteum' est blanc argenté.

E. planum, ***espèce très florifère en plate-bande sèche.***

Espèces

E. alpinum, originaire des Alpes et de Yougoslavie, est une plante de 50 à 70 cm de haut. Les feuilles basales, en forme de cœur, sont vertes. Les tiges, bleu acier dans leur partie supérieure, portent des capitules de fleurs cylindriques de 4 cm de long, de couleur bleu acier également. Notre panicaut des montagnes est une espèce protégée, rare en France.

La forme la plus courante en culture, 'Blue Star', diffère assez peu du type ; les fleurs, d'un bleu profond, apparaissent de juillet à août.

E. amethystinum, originaire d'Italie et des Balkans, est une plante de 60 cm à 1 m de haut, à feuilles coriaces, profondément découpées et teintées de bleu acier. Les tiges solides, ramifiées en ombelles, portent des capitules de fleurs bleu améthyste, sphériques et entourées de bractées lancéolées, de juillet à août.

E. bourgatii, originaire d'Espagne et des Pyrénées, est une très belle espèce de 30 à 40 cm de haut, à feuilles très découpées, coriaces et épineuses, à nervures blanches, les feuilles

E. amethystinum ***offre des fleurs d'un bleu remarquable.***

Les boutons floraux des vergerettes ne s'ouvrent pas dans les vases ; aussi faut-il cueillir les fleurs lorsqu'elles commencent à s'ouvrir.

E. bourgatii, ***une petite espèce pour bordures ou dallages fleuris.***

supérieures engainant la tige. Les capitules de fleurs bleues, entourées d'un toupet de bractées bleues, très découpées, apparaissent au sommet des tiges ramifiées de juillet à août. *E. planum,* originaire d'Europe et d'Asie, est une plante de 1 m de haut, à tiges raides et érigées. Les feuilles basales sont entières, en forme de cœur. Les petits capitules de fleurs bleues, très nombreux, apparaissent de juin à septembre.

Culture

On obtient les meilleurs résultats en installant ces plantes dans un sol profond, sec, sableux ou caillouteux et bien drainé, exposé au soleil.

Multiplication

On effectue le semis des espèces botaniques dès la maturité des graines, en caissette que l'on place sous châssis froid durant l'hiver. La germination commencera au printemps suivant. Les cultivars se multiplient par boutures de racines durant l'hiver, sous châssis, dans du sable à peine humide.

Dans votre jardin. Les panicauts constituent d'excellentes fleurs pour la réalisation de bouquets de fleurs séchées. En plates-bandes mixtes, ils seront décoratifs parmi les solidagos, *Heliopsis, Limonium, Lychnis, Anaphalis.*

EUPHORBIA

EUPHORBE - EUPHORBIACÉES

S : *voir* chaque espèce

L'euphorbe, également appelée épurge, doit son nom au grec Dioscoride. Selon Pline, le nom fut sans doute dédié à Euphorbus, médecin de Juba, roi de Mauritanie, qui, le premier, employa le suc d'euphorbe pour le traitement de l'amibe intestinale.

Attention au latex, il peut provoquer des brûlures par temps chaud, lors de la division des touffes.

Le genre comprend plus de 2 000 espèces répertoriées de plantes herbacées ou arbustives, originaires des zones tempérées et tropicales du monde entier. Seules quelques espèces rustiques et vivaces sont intéressantes à cultiver. Toutes ces plantes sont toxiques et produisent du latex. Les inflorescences forment des cymes et le feuillage, souvent persistant, se colore parfois à l'automne.

Espèces

E. amygdaloides, originaire d'Europe, du Caucase et du sud de l'URSS, mesure de 40 à 70 cm de haut. Cette plante semi-arbustive à port lâche possède un feuillage persistant. Les tiges sont rougeâtres. Les feuilles ovales, vert olive sombre, se colorent de pourpre durant l'hiver. Sur les pousses de l'année précédente se développent, en début d'année, des fleurs en cymes cylindriques, de couleur jaune verdâtre. **S 5**

E. griffithii ***'Fire Glow', plante pour plates-bandes printanières.***

E. characias ***var.*** **wulfenii** ***demande de l'espace pour atteindre son plein développement.***

La forme 'Rubra' offre des tiges et des feuilles pourpres contrastant élégamment avec les fleurs jaune-vert. La floraison a lieu d'avril à juin.

E. amygdaloides var. *robbiae,* originaire d'Asie Mineure, mesure 60 cm de haut et autant de large. Ses feuilles plus larges que celles de l'espèce précédente, sont vert foncé. Les inflorescences tranchent agréablement sur le feuillage. Les fleurs minuscules sont entourées de bractées vert clair. Cette espèce forme un couvre-sol très utile car son feuillage persiste durant l'hiver. **S 5**

E. characias, originaire du pourtour méditerranéen, mesure de 70 à 90 cm de haut et autant de large. Cette euphorbe forme de grosses touffes buissonnantes de tiges érigées, couvertes de feuilles vert glauque la première année et surmontées de fleurs vertes à cœur brun foncé l'année suivante. Après avoir fleuri, les tiges meurent mais de nouvelles tiges, déjà développées, apparaissent alors au collet de la plante. **S 6**

E. characias var. *wulfenii,* probablement originaire de Corse, qui ressemble beaucoup à l'espèce précédente, ne s'en différencie que par la couleur de ses fleurs, vert-jaune à centre jaunâtre, fleurissant en avril et mai. **S 6**

E. griffithii, originaire de l'Himalaya, est une plante drageonnante, à tiges raides et érigées de 50 à 90 cm de haut. Les feuilles lancéolées deviennent jaunes et rouges à l'automne. Les

E. polychroma *se plaît dans les sols calcaires.*

fleurs portées en cymes terminales sont entourées de bractées rouge orangé, qui apparaissent en mai et en juin. **S 7**
Le cultivar 'Fire Glow' est encore plus coloré que le type.
E. palustris, originaire du continent européen, est une plante à tiges érigées pouvant atteindre 1 m de haut. Les feuilles glabres ressemblent à celles du saule. Les inflorescences, composées d'une dizaine de fleurs jaune foncé, s'épanouissent de mai à juin. **S 7**
E. polychroma, originaire du continent européen, est une plante à souche munie de nombreux bourgeons. Ses tiges érigées, de 30 à 40 cm de haut, sont couvertes d'un duvet blanc à peine visible. Les feuilles lancéolées et velues sont de couleur vert moyen. Les inflorescences en cymes se développent avec les pousses en avril et mai. Les pousses tardives ne produisent pas de floraison. Les fleurs, entourées de bractées jaune verdâtre lumineux, durent longtemps. **S 6**

Culture
La culture de ces plantes est facile. Elles aiment les expositions ensoleillées ou mi-ombragées, les terres fraîches, même calcaires et bien drainées, surtout l'hiver.

E. polychroma ***décorera agréablement dallages fleuris, bordures et jardinières.***

Multiplication
Semer dès la récolte en caissettes. Laisser hiverner sous châssis froid. Diviser les touffes pour les espèces drageonnantes.

Dans votre jardin. Ces plantes sont superbes dans les plates-bandes mixtes, leur feuillage mettant en valeur les fleurs qui les entourent. Un lit de gravier de 5 cm d'épaisseur favorise leur croissance, élimine les risques de pourriture du collet et permet à la plupart des espèces de se ressemer.

FOENICULUM
FENOUIL - UMBELLIFÉRACÉES **S 7**

Le nom de* Foeniculum *vient de l'ancien nom latin déjà donné à cette plante,* foenum, *foin, qui rappelle la finesse des feuilles.

Ce genre comprend 2 espèces herbacées originaires d'Europe, l'une, annuelle, est utilisée comme légume, l'autre, vivace et rustique, est utilisée comme plante condimentaire et officinale.

Espèce
F. vulgare, originaire du continent européen, est une plante vigoureuse mesurant de 90 cm à 2 m de haut. Elle est érigée et très odorante. Les feuilles, très finement découpées, d'un joli vert tendre, donnent un aspect plumeux à toute la plante. Les fleurs en ombelles jaunes, qui apparaissent en juillet et en août, sont portées par des tiges robustes, suivies par les graines d'abord vertes puis jaunes.
Le cultivar 'Bronze' est très intéressant ; son feuillage brunâtre tranche admirablement sur ses fleurs jaunes.

Les feuilles peuvent se consommer fraîches ou sèches pour accompagner poissons et sauces. Les graines ont des vertus thérapeutiques.

Culture
Cette plante aromatique à l'odeur anisée aime les expositions chaudes et ensoleillées. Elle se plaît dans un sol ordinaire bien drainé.

F.v. ***'Bronze' se ressème bien en sol sec.***

Multiplication
Ces plantes se ressèment souvent d'elles-mêmes. Le cultivar 'Bronze' est fidèlement reproduit par semis, s'il n'est pas planté à proximité de l'espèce type à feuillage vert. Semer les graines en pleine terre, en avril et mai, soit sur place, soit en pépinière ; dans ce dernier cas, transplanter rapidement les jeunes plantules lorsqu'elles ont 4 feuilles car la racine pivotante supporte mal la transplantation.

Dans votre jardin. Ces jolies plantes seront installées en plates-bandes en compagnie d'achillées, d'acanthes et de toutes les plantes de soleil et de terrain bien drainé. Elles apporteront une note de légèreté.

GAILLARDIA

GAILLARDE - ASTÉRACÉES

S 6

Le nom de* Gaillardia *fut donné par Fougeroux et dédié à M. Gaillard, amateur et protecteur de plantes.

Les gaillardes, très florifères, offrent des tons de jaune et de rouge variés.

Ce genre comprend environ 25 espèces de plantes vivaces et annuelles, originaires pour la plupart d'Amérique. Parmi elles, une seule est vraiment rustique. Ces plantes buissonnantes, aux feuilles lancéolées à pennées, donnent des fleurs en forme de marguerites, souvent bicolores, à cœur hémisphérique. Leur floraison est très longue.

Espèce

G. aristata, originaire d'Amérique du Nord, mesure jusqu'à 60 cm de haut et presque autant de large. Les feuilles sont vert glauque et velues. Les fleurs, très grosses, montrent des pétales jaunes et rouges. Croisée avec *G. pulchella,* cette espèce a donné naissance à *G. x grandiflora* qui présente les mêmes caractéristiques que l'espèce décrite. Elle a, en outre, produit de nombreux cultivars.

CULTIVARS DE G. x *GRANDIFLORA*

Cultivars	Caractéristiques
'Bourgogne'	Grandes fleurs rouge brunâtre brillant
'Chloé'	Fleurs jaunes
'Kobold'	Végétation compacte ne dépassant pas 30 cm de haut ; fleurs rouges et jaunes
'Nieske'	Végétation ne dépassant pas 30 cm de haut ; fleurs rouges à pointes jaunes
'Royale'	Fleurs rouges bordées de jaune

Culture

Ces plantes acceptent les terres ordinaires si elles sont bien drainées et bien exposées au soleil. On rabattra les touffes défleuries afin d'éviter qu'elles ne s'épuisent.

Multiplication

Diviser les touffes au printemps ou bouturer les racines dans du sable à la même époque.

Dans votre jardin. Très utiles dans les bouquets d'été, les gaillardes trouveront place en plates-bandes mixtes en compagnie de *Coreopsis, Erigeron, Echinacea* et *Solidago.*

GAURA

GAURA - ONAGRACÉES

S 5

Ce genre, qui doit son nom à Linné, vient du grec* gauros, *superbe, dénomination qui rend parfaitement justice à l'élégance de ces plantes.

Le genre, assez peu connu, comprend une vingtaine d'espèces de plantes herbacées, rustiques, annuelles ou vivaces, rarement arbustives, originaires d'Amérique du Nord.

Espèce

G. lindheimeri, originaire des États-Unis, mesure 1,20 m de haut pour un étalement de 70 à 90 cm. Cette plante buissonnante à feuillage vert moyen émet de nombreuses tiges arquées portant en épis d'abondantes fleurs blanches à calice rougeâtre, de mai à octobre.

Gaura lindheineri.

Culture

Installer de jeunes plantes au printemps dans tous les sols bien drainés et ensoleillés.

Multiplication

Le semis est le seul moyen de reproduction. Semer en caissette au printemps ; celle-ci sera installée sous châssis à une température de 16 à 20 °C. Mettre la caissette dans un endroit plus frais dès que la germination commence.

Dans votre jardin. On associe les gauras aux armoises, aux graminées, à *Dierama pendula,* et à *Gypsophila paniculata...*

GERANIUM

BEC DE GRUE et GÉRANIUM VIVACE – GÉRANIACÉES

S : *voir* chaque espèce

Le nom de* Geranium, *déjà employé en Grèce par Dioscoride, est tiré de* geranos, *grue, allusion à la forme du fruit qui ressemble au bec de cet oiseau.

Ce genre comprend environ 300 espèces de plantes herbacées ou suffrutescentes, rustiques ou non, annuelles ou vivaces, originaires des zones tempérées et subtropicales du monde entier. Ces plantes de taille petite ou moyenne sont buissonnantes, leurs feuilles sont divisées ou lobées, alternes ou opposées. Les fleurs forment des cymes de diverses couleurs.

Espèces

La classification adoptée ici est le résultat des recherches botaniques les plus récentes. Les synonymes ou les anciennes appellations sont donnés entre parenthèses ou mentionnés dans la description des espèces.

G. cantabridgense 'Biokovo' (*G. macrorrhizum* 'Biokovo') est un hybride naturel de *G. dalmaticum* et de *G. macrorrhizum.* Il mesure de 30 à 50 cm de haut pour 40 à 70 cm de large. La plante produit de courts drageons, très nombreux. Les feuilles sont rondes et découpées. Les fleurs blanc rosé, assez grandes, ressortent admirablement sur le feuillage vert mat, semi-persistant ou persistant durant l'hiver. Cette espèce, qui fleurit de mai à juillet, constitue un bon couvre-sol. **S 4**

G. cinereum, originaire du sud de l'Europe et du Caucase, est une plante basse et tapissante, de 10 à 20 cm de haut, s'étalant sur 30 à 50 cm. Le feuillage est profondément découpé en 5 à 7 lobes. Les fleurs blanches, veinées de rose

Les géraniums vivaces sont des plantes robustes qui trouveront place en massifs, plates-bandes, bordures, ou , comme ici, en jardin sauvage.

G. cinereum ***'Ballerina', une espèce miniature à réserver aux bordures et rocailles.***

carminé, produisent un bel effet. Elles s'épanouissent de juin à juillet. **S 4**

Le cultivar 'Ballerina', appelé par erreur *G. c var. subcaulescens* 'Ballerina', est une forme à fleurs rose lilas argenté, délicatement veiné de rose sombre.

G. dalmaticum, originaire de Dalmatie et d'Albanie, mesure de 15 à 30 cm de haut. Cette espèce forme de gros coussins à rhizomes ramifiés, se développant lentement et atteignant 70 à 80 cm de large au bout de 5 à 6 ans. Les feuilles se développent au ras du sol et mesurent jusqu'à 4 cm de large. Divisées pratiquement jusqu'à la base, elles sont vert lavé de rougeâtre. Les fleurs rose tendre s'épanouissent de juin à juillet. **S 2**

G. endressii, originaire des Pyrénées, est une plante à rhizomes nombreux et rampants, de 40 à 60 cm de haut pour un étalement identique. Les tiges, souvent couchées, portent des feuilles à 5 lobes, parfois persistantes, larges de 8 cm et de couleur vert brillant. Les fleurs rose tendre s'épanouissent de mai à août. Il est important de réserver à cette plante une grande surface car elle est vigoureuse. **S 2**

Le cultivar 'Wargrave Pink', plus petit que le type, donne des fleurs rose saumoné plus soutenu que chez l'espèce. **S 2**

G. himalayense (*G. grandiflorum*), originaire du Sikkim en Inde, mesure 60 cm de haut et de large. Les feuilles, profondément divisées en 5 segments, se colorent à l'automne de teintes rougeâtres. Les fleurs bleues ont des reflets violets. **S 4**

Le cultivar 'Johnson's Blue' est un peu plus petit : il mesure 40 cm. Ses grandes fleurs, de

G. endressii ***couvre bien le sol.***

G. himalayense ***'Johnson's Blue', une belle espèce tapissante, aux grandes fleurs d'un bleu intense.***

Les fleurs roses veinées de pourpre de la forme *'Striatum'* du G. sanguineum.

G. sanguineum, *plante de dallage fleuri ou de muret, se plaît en plein soleil. Sa floraison prendra tout son éclat si elle est bien exposée.*

couleur bleu-violet finement veiné de rouge, apparaissent en juin et juillet.

G. macrorrhizum, originaire des Alpes, des Balkans et des Carpates, est une plante robuste aux rhizomes vigoureux. Ses tiges presque ligneuses forment un gros coussin de 30 à 40 cm de haut. Elle peut couvrir une surface de 1 m² en 2 à 3 ans. Les feuilles rondes sont divisées en 5 à 7 lobes. Les tiges et les feuilles sont poilues et dégagent un très fort parfum, qui peut déplaire. Les vieilles feuilles se teintent de rouge et de jaune à l'automne, tandis que les jeunes feuilles persistantes forment des rosettes au bout de leurs tiges. Les ombelles, légèrement pendantes, portent de 6 à 9 fleurs de couleur blanche à pourpre, qui s'épanouissent de mai à juillet.

Le cultivar 'Ingwersen', un peu plus petit, a des feuilles persistantes et des fleurs rose lilas ; 'Spessart', de forte végétation, possède un feuillage persistant et des fleurs blanc rosé. 'Variegatum', moins robuste que les précédents, montre des feuilles panachées d'argent.

G. x magnificum est un hybride stérile, de 60 cm de haut. Ce croisement de *G. ibericum* et de *G. platypetalum* est souvent commercialisé sous le nom de l'une ou l'autre de ces deux espèces. Cette très belle plante porte des feuilles rondes, profondément découpées et velues. Les fleurs, de grande taille, de couleur bleu violacé, finement veinées de violet foncé, s'épanouissent de juin à juillet. Le feuillage se colore joliment à l'automne. **S 6**

G. orientalitibeticum (*G. stapfianum* 'Roseum') est un hybride naturel de 20 à 30 cm de haut, à rhizomes fins tubérisés. Cette belle plante tapissante porte, sur des tiges basses et ramifiées, des feuilles trilobées, d'un joli vert clair marbré de brun. Les grandes fleurs rose pâle s'épanouissent de mai à juin. **S 1**

G. psilostemon (*G. armenum*), originaire d'Arménie, est une très belle espèce de 70 à 80 cm de haut et autant de large, au port érigé. Ses tiges velues portent de grandes feuilles profondément découpées qui se colorent à l'automne. Les fleurs rouge magenta ont un cœur noir. Ces superbes plantes, qui offrent les coloris parmi les plus vifs du genre, s'épanouissent en juin. **S 6**

G. pylzowianum, originaire du Tibet, est une petite plante de 20 cm de haut. Ses rhizomes tubéreux, en réseau dense, forment rapidement des tapis de feuilles profondément découpées, de couleur vert sombre, au-dessus desquelles apparaissent de mai à juillet de grandes fleurs rose brillant. **S 1**

G. renardii, originaire du Caucase, mesure de 25 à 40 cm de haut. Cette plante, de faible étalement, est touffue. Ses feuilles rondes et lobées possèdent des nervures saillantes, de couleur vert mat et grisâtre et d'aspect velouté. Les fleurs blanches finement veinées de pourpre-violet apparaissent en juillet. **S 2**

G. x riversleaianum 'Russel Prichard', un croisement de *G. traversii* et de *G. endressii,* est aussi appelé *G. x prichardii.* Cette jolie plante de 20 à 30 cm de haut, au port étalé, possède des rhizomes faiblement traçants. Les feuilles légèrement argentées comme celles de *G. traversii* sont très découpées. Les fleurs d'un rose carminé soutenu s'épanouissent de mai à novembre. Cette plante très florifère connaît une floraison de longue durée. **S 4**

G. sanguineum, originaire du continent européen, mesure de 30 à 40 cm de haut. Cette plante vigoureuse, qui s'étale bien, possède des rhizomes ramifiés épais et charnus. Les tiges minces, couchées ou érigées sont très

G. x magnificum *supporte bien la mi-ombre.*

G. psilostemon ***offre les fleurs les plus lumineuses du genre.***

G. renardii *aime le soleil et les sols bien drainés.*

Geranium renardii.

ramifiées. Les feuilles, larges de 5 à 6 cm, vert foncé, opposées et profondément découpées, ont de 5 à 7 lobes. Les fleurs solitaires, rouge carmin à rouge sang, sont peu nombreuses mais elles se succèdent régulièrement de mai à septembre. **S 4**

'Striatum' aussi appelé 'Lancastriense' est une plante superbe, aux fleurs rose veiné de rouge vif. 'Compactum' ressemble à l'espèce type mais sa végétation est plus compacte et ses feuilles plus petites. Ces plantes se plaisent autant à l'ombre qu'au soleil et forment des couvre-sols denses. **S 1**

G. subcaulescens (*G. cinereum* var. *subcaulescens*) est originaire d'Italie. Cette espèce ne dépasse guère 15 à 20 cm de haut pour un étalement de 30 à 40 cm. Les petites touffes étalées portent un feuillage vert grisâtre, mais c'est surtout par sa floraison que cette espèce se distingue : de juin à août apparaissent de remarquables fleurs rouge magenta à œil noir. Le cultivar 'Splendens', aux fleurs rouge vermillon à œil noir, est encore plus éclatant. **S 1**

G. wallichianum, originaire du Népal, au port ramassé, se développe au ras du sol et ne dépasse guère 30 cm de haut. Il peut s'étaler sur près de un mètre carré. Les feuilles ont 5 lobes et les fleurs lilas pourpre à œil blanc et étamines noires s'épanouissent d'août à septembre. Si l'espèce a peu d'intérêt, son cultivar 'Buxton's Variety' parfois appelé 'Buxton's Blue' est remarquable par ses fleurs bleu clair se succédant sans interruption de juillet à octobre. **S 4**

Culture

Les géraniums sont des plantes faciles à cultiver, qui poussent dans toutes les bonnes terres de jardin. Ils marquent, toutefois, une préférence pour les terres ensoleillées, riches, fraîches et bien drainées. Les géraniums s'adaptent généralement bien à l'ombre ou à la mi-ombre mais certaines espèces se montreront dans ces conditions moins florifères. Planter à l'automne ou au printemps.

Multiplication

Les espèces botaniques se ressèment souvent d'elles-mêmes mais il est très facile de diviser les touffes tous les 4 à 5 ans au printemps. Replanter les éclats dans un sol enrichi avec un engrais organique bien décomposé.

Dans votre jardin. Très différentes par leur taille, leur feuillage ou la couleur de leurs fleurs, ces plantes sont très précieuses pour le jardin. Elles sont si décoratives et accommodantes que tout amateur se doit d'en disposer dans son jardin.

Les géraniums sont aussi décoratifs par leurs fleurs que par leur feuillage souvent persistant. Ils peuvent être associés à des plantes bulbeuses, des arbustes et à une multitude de plantes vivaces. *G. cinereum* se plaît dans un dallage fleuri, au premier plan des massifs et dans un jardin de rocailles.

G. dalmaticum, aux jolies couleurs automnales, sera installé en dallage fleuri, dans une auge, un jardin de rocailles, en bordure de massif...

G. himalayense s'étale lentement ; les touffes peuvent couvrir une surface de 1 m^2 en 5 à 6 ans. On l'installe au premier plan d'une plate-bande ; sa superbe floraison y prendra toute sa valeur auprès de rosiers jaunes.

G. macrorrhizum est une plante robuste qui s'adapte à toutes les situations (l'ombre des arbres, les sols difficiles, une sécheresse passagère...). Elle préfère néanmoins les sols frais et ensoleillés.

GEUM

BENOÎTE - ROSACÉES

S 7, S 4 *(G. rivale)*

Le nom de* Geum*, donné par Linné, vient du grec* geuo*, qui donne bon goût, allusion à l'odeur agréable des racines.

Le genre comprend une cinquantaine d'espèces, largement réparties dans les zones tempérées du monde entier. Ces plantes vivaces, parfois rustiques, de taille basse ou moyenne ont des rhizomes épais. Les feuilles pennées sont en forme de lyre. Les tiges florales, issues de l'aisselle des feuilles basales, portent des fleurs solitaires ou en cymes lâches.

Espèces

G. chiloense, originaire du Chili, mesure de 40 à 60 cm de haut et 30 cm de large. Toute la plante est couverte d'un fin duvet. Les feuilles vert tendre sont soyeuses. Les fleurs rouge écarlate éclosent de juillet à août.

Cette espèce, qui se rencontre rarement en culture, est remplacée par ses cultivars : 'Mrs Bradshaw', à fleurs doubles écarlates, et 'Lady Stratheden', à fleurs doubles jaune vif.

G. coccineum, originaire des Balkans et d'Asie Mineure, est de plus petite taille que l'espèce précédente. De port plus touffu, cette espèce forme des petits coussins de 40 à 50 cm de haut et de 50 à 70 cm de large d'où émergent des fleurs rouge brique.

Le cultivar 'Borisii', de forme trapue lui aussi, avec de grosses feuilles velues, voit ses fleurs rouge orangé s'épanouir de mai à juillet.

G. rivale, originaire d'Europe, d'Asie et d'Amérique du Nord, est une jolie plante de 30 à 40 cm de haut, aux tiges couvertes d'un fin duvet et aux feuilles en forme de lyre. Les fleurs, rouges à calice rouge-brun, pendantes et disposées en corymbes, éclosent d'avril à mai.

Le cultivar 'Léonard' donne de grosses fleurs rose pâle et cuivrées.

Culture

Ces plantes de culture facile, aiment tous les sols fertiles et bien drainés, situés au soleil ou à mi-ombre.

Multiplication

Afin d'assurer la longévité de la plante, diviser au printemps tous les 3 ou 4 ans. Repiquer aussitôt les éclats.

Dans votre jardin. Vous installerez de préférence les benoîtes dans des plates-bandes herbacées en compagnie de *Polemonium caeruleum, Doronicum,* et de campanules.

G. c. *'Mrs Bradshaw', se marie agréablement dans les plates-bandes à* Alchemilla mollis.

B

G. chiloense, *aux longues tiges dégarnies, sera associée à des plantes au feuillage fourni.*

GYPSOPHILA

GYPSOPHILE - CARYOPHYLLACÉES

S 6, S 5 *(G. pacifica)*

Le nom de* Gypsophila, *donné par Linné, vient des mots grecs* gypsos, *calcaire, et* philein, *aimer, par allusion au fait que la plupart des gypsophiles aiment les terrains calcaires.

Ce genre comprend environ 80 espèces de plantes herbacées, annuelles ou vivaces, principalement originaires du pourtour méditerranéen. Les feuilles, souvent glauques, sont opposées et lancéolées. Les nombreuses petites fleurs, blanches ou roses, sont portées en panicules ou en cymes. Ces plantes à la floraison estivale font d'excellentes fleurs à couper.

Espèces

G. pacifica, originaire de Sibérie et de Mandchourie, mesure environ 1 m de haut. Les tiges vigoureuses, semblables à celles de *G. paniculata* mais moins ramifiées, portent en septembre des fleurs roses de plus grande taille.
G. paniculata, originaire du sud de l'Europe et du Caucase, mesure 1 m de haut. Cette plante à rhizomes épais possède des racines profondes. Les tiges très ramifiées partent du sol et forment un buisson sphérique portant des feuilles lancéolées et glauques. Une multitude de petites fleurs blanches apparaît de juillet à août.

G. pacifica *supporte mieux des sols plus lourds que la plupart des autres espèces de gypsophiles.*

De nombreux cultivars ont été créés, dont on retiendra, parmi les plus remarquables, 'Bristol Fairy', à fleurs doubles, blanches ; 'Flamingo', à fleurs semi-doubles, blanc rosâtre, cultivar vigoureux qui mesure souvent plus de 1,20 m ; 'Virgo', haut de 1 m, à fleurs blanches doubles ; 'Compacta Plena', malheureusement rare en culture, aux fleurs doubles, rose tendre, qui ne dépasse guère 20 à 30 cm de haut ; enfin, 'Rosenschleier', à fleurs doubles, roses, qui forme des buissons de 40 à 50 cm de haut sur 1 m^2 de large.

Culture

Installer ces plantes dans un sol très bien drainé, même sec et calcaire, en plein soleil, en exposition chaude. Dans les terres humides, ces plantes ne vivent pas longtemps : elles ont besoin d'un sol profond pour enfoncer leurs racines vigoureuses. Une fois installées, elles ne doivent plus être dérangées.

Multiplication

Les espèces sont faciles à multiplier par semis, au printemps. Les cultivars, difficiles à reproduire, sont pour la plupart greffés.

Dans votre jardin. Installez les gypsophiles dans vos plates-bandes, où leur légèreté mettra surtout en valeur les plantes aux coloris vifs.

G. paniculata ***offre une floraison vaporeuse, de hauteur variable, parfois buissonnante, comme ici chez le cultivar 'Rosenschleier'.***

HELENIUM

HÉLÉNIE - ASTÉRACÉES

Le nom d'**Helenium*****, attribué par Linné, vient d'une ancienne appellation grecque*** **helenion*****, due à Hippocrate. Il désignait alors une autre plante, probablement l'aunée, car ce genre était alors inconnu.***

Ce genre comprend environ 30 espèces de plantes herbacées et vivaces originaires d'Amérique du Nord et d'Amérique centrale. Ces plantes érigées ont des tiges souvent ramifiées dans la partie supérieure. Les feuilles alternes et lancéolées sont entières ou légèrement dentées. Les fleurs en corymbes, de couleur jaune-brun ou rougeâtre, sont très abondantes et de longue durée.

Espèces

H. bigelowii, originaire de Californie et de l'Orégon, mesure 60 cm de haut et 50 cm de large. Les tiges, peu ramifiées, souvent simples, portent des feuilles lancéolées. Les grandes fleurs lâches, aux ligules jaune foncé, entourent un cœur sphérique presque noir ; elles s'épanouissent de juin à juillet.

Ces hélénies connaissent une floraison plus rapide que celle des hybrides. On les associe aux *Coreopsis,* aux gaillardes et aux monardes. Elles donnent en outre de très belles fleurs à couper.

LA FLORAISON DES HÉLÉNIES HYBRIDES		
Période de floraison	**Cultivars**	**Fleurs**
Juin-juillet	'Goldene Jugend'	Jaune d'or
	'Moerheim Beauty'	Rouge-brun
	'Waltraut'	Jaune flammé de brun cuivré
Juillet-août	'Flammenrad'	Jaune d'or à reflets rouge cuivré
	'Kanaria'	Jaune d'or à centre clair
	'Königstiger'	Jaune d'or flammé de rouge-brun
Septembre	'Autumnal Beauty'	Jaune bronze
	'Beaudirekton Linné'	Fauve à centre brun
	'Bruno'	Rouge-brun
	'Chipperfield'	Orange rayé de rouge-brun

Les hélénies hybrides, à la riche floraison estivale, méritent une plus grande utilisation dans les jardins.

H. hoopessi, originaire des États-Unis, mesure 60 cm de haut et 50 cm de large. Les tiges portent des feuilles spatulées, longues et glauques, formant de grosses rosettes à la base. Les inflorescences lâches sont composées de grosses fleurs en forme de marguerite jaune orangé à cœur jaune. Cette espèce très élégante, qui supporte mieux la sécheresse que toutes les autres du genre, fleurit tôt, de mai à juin.

H. hybride regroupe un ensemble de plantes dont la plupart mesurent de 80 cm à 1,20 m de haut. Selon leurs origines, elles fleurissent plus ou moins tardivement.

Culture

Les hélénies sont des plantes faciles à cultiver qui poussent dans tous les sols frais, bien drainés et ensoleillés. Planter à l'automne ou au printemps et veiller à ce qu'elles ne manquent pas d'eau pendant la période de végétation.

Multiplication

Il est bon de rajeunir les touffes tous les 3 ou 4 ans, car elles ont tendance à se dégarnir au centre. Déterrer les souches et ne prélever que les éclats jeunes situés autour de la touffe, ainsi seront-ils plus florifères. Replanter aussitôt dans un sol préalablement enrichi avec une fumure organique parfaitement décomposée.

Dans votre jardin. Connues et utilisées dans les jardins depuis fort longtemps, les hélénies sont aujourd'hui quelque peu délaissées. Elles composent pourtant de très beaux bouquets et sont irremplaçables en compagnie des asters et des verges d'or dans les plates-bandes d'automne.

HELIANTHUS

SOLEIL – ASTÉRACÉES

S 7

Linné a formé ce nom sur les mots grecs* helios, *soleil, et* anthos, *fleur, pour évoquer la forme et la couleur des fleurs.

Le tournesol, abondamment cultivé de nos jours, est également un Helianthus.

Quelque 100 espèces de plantes annuelles ou vivaces, largement réparties à travers le monde, composent ce genre. Seules les espèces d'origine nord-américaine sont intéressantes pour les jardins. Ces plantes rustiques, souvent de grande taille, ont un rhizome traçant. Les feuilles simples et poilues sont opposées à la base et alternes dans le haut des tiges. Les gros capitules sont solitaires ou disposés en corymbes lâches.

Espèces

H. atrorubens, originaire des États-Unis, mesure de 1 m à 1,50 m de haut. Ses tiges rougeâtres et velues portent des feuilles lancéolées ou ovales, grisâtres sur le revers. Les gros capitules de fleurs, de 5 cm de large, jaunes à cœur brun, s'épanouissent d'août à septembre.

La forme 'Gullick's Variety', de plus grande taille, atteint 1,80 m de haut. Ses grosses fleurs jaune foncé sont les meilleures fleurs à couper parmi les *Helianthus*.

H. decapetalus, originaire des États-Unis, s'élève à 1,50 m de haut. Cette espèce possède des rhizomes épais, des feuilles glabres sur le dessus et poilues au revers, de forme ovale à lancéolée. Les corymbes sont composés de 12 à 14 fleurs de couleur jaune qui éclosent d'août à octobre.

La forme 'Capenock Star' possède de très jolies fleurs à ligules larges jaune citron et un cœur en pompon. 'Soleil d'Or' a des fleurs doubles de couleur jaune d'or.

H. salicifolius, originaire des États-Unis, peut atteindre 2,50 m de haut, mais cette espèce ne dépasse pas le plus souvent 1,70 à 1,90 m. Ses tiges sont lisses, vertes et très feuillées. Les feuilles alternes et linéaires, semblables à de longues feuilles de saules, retombantes, donnent à cette plante curieuse un aspect exotique. Les inflorescences ramifiées et lâches portent des fleurs jaunes de septembre à octobre.

Culture

Ces plantes aiment toutes les bonnes terres de jardin bien drainées l'hiver. Elles supportent cependant bien les terres lourdes. Elles peuvent s'adapter à la sécheresse, mais préfèrent les expositions chaudes, ensoleillées.

Multiplication

On effectue la division des rhizomes au printemps.

Dans votre jardin. Ces plantes de soleil seront installées en fond de plate-bande. Les espèces botaniques ou anciennes deviennent vite envahissantes et devront être réservées aux grands espaces. Toutefois, les formes que l'on peut aujourd'hui se procurer dans le commerce sont moins envahissantes.

***H. decapetalus*, doté d'une grande vigueur comme les autres soleils, a besoin d'espace.**

HELIOPSIS

HÉLIOPSIS - ASTÉRACÉES

S 7

Créé par Persoon, ce nom de genre, tiré des mots grecs* helios, *soleil, et* opsis, *ressemblance, évoque l'aspect des fleurs de l'héliopsis.

Les héliopsis donnent d'excellentes fleurs à couper.

Le genre comprend environ 7 espèces de plantes vivaces, hautes à mi-hautes, originaires d'Amérique du Nord. Les tiges raides portent des feuilles lâches, opposées, de forme ovale et à dents pointues. Les fleurs terminales ou axilliaires sont jaunes et s'épanouissent en été.

Espèces

H. helianthoides var. *scabra* (*H. scabra*), originaire d'Amérique du Nord, de 60 cm à 1,20 m de haut, porte des feuilles poilues des deux côtés. Le type a été remplacé en culture par de nombreux cultivars à l'abondante floraison comme 'Goldgrünherz', à fleurs jaunes doubles et cœur verdâtre ; 'Hohlspiegel', à feuillage vert sombre et fleurs demi-doubles jaune orangé ; 'Patula', à fleurs doubles jaune pur ; 'Sommersonne', à fleurs simples jaune d'or, qui atteint 1,40 m de haut, et 'Spitzentänzerin', à fleurs demi-doubles jaune d'or.

Culture

Ces plantes aiment les sols riches, frais, bien drainés et ensoleillés. Elles craignent les sols lourds, humides où elles ne peuvent vivre longtemps. Planter 4 pieds par mètre carré à l'automne ou, dans les régions aux hivers humides, au printemps.

H. helianthoides *var. scabra 'Goldgrünherz'.*

Multiplication

Ces plantes ont besoin, pour rester florifères, d'être rajeunies tous les 3 ou 4 ans. On divise alors les souches au printemps puis on replante aussitôt les éclats dans un sol préalablement enrichi avec une fumure organique très bien décomposée.

On peut également prélever des boutures vertes, de 10 à 12 cm, en avril et en mai, que l'on placera en mini-serre.

Dans votre jardin. Installer ces plantes qui supportent bien la sécheresse en bordures mixtes en compagnie de *Phlox paniculata, Helenium, Aster* et *Erigeron*.

Toutes les espèces d'héliopsis recherchent le plein soleil et les endroits chauds au jardin.

HESPERIS

JULIENNE - BRASSICACÉES

S 7

Ce nom d'*Hesperis *donné par Linné vient de l'ancien nom grec employé par Théophraste* hespera, *soir, car ces fleurs sont plus odorantes en fin de journée.

Le genre comprend environ 20 espèces de plantes herbacées, annuelles, bisannuelles ou vivaces, originaires d'Europe, de Sibérie et d'Asie Mineure. Les fleurs diversement colorées sont odorantes et réunies en grappes lâches. Les feuilles ovales et entières sont dentées ou ont la forme d'une lyre.

Ces plantes étaient très présentes dans les jardins à la fin du siècle dernier. Il existait de nombreux cultivars, aux couleurs très variées, à fleurs simples et doubles, hautes ou naines. Aujourd'hui, il n'en reste pratiquement plus.

Espèce

H. matronalis, la julienne des dames, est originaire d'Asie et d'Europe. De 60 à 70 cm de haut et atteignant parfois 1,20 m, cette plante bisannuelle ou vivace possède des feuilles en forme de cœur, triangulaires à la base et linéaires dans le haut des tiges. Les fleurs simples, de couleur lilas, sont portées en grappes terminales. La floraison très odorante a lieu de mai à juillet.

Il existe encore une forme assez courante, 'Alba', qui possède des fleurs blanches et simples. Quant aux formes stériles à fleurs doubles, elles semblent avoir complètement disparu.

Cette plante au charme désuet embaume de son odeur de jasmin les soirées du début de l'été.

Culture

Les juliennes aiment les sols riches, bien drainés, mais elles poussent dans toutes les bonnes terres de jardin, au soleil ou à mi-ombre.

Multiplication

Ces plantes se ressèment souvent seules dans le jardin. On peut procéder au semis en avril, directement en place. Un repiquage en fin d'été donnera des touffes plus robustes. On peut également diviser les racines entre octobre et mars ou bouturer les tiges en tronçons de 10 cm en automne.

Dans votre jardin. Les juliennes prendront place dans une plate-bande ou un jardin sauvage en compagnie de *Delphinium,* de lupins ou, pour ceux qui recherchent un contraste violent, au milieu de *Heliopsis, Rudbeckia* ou *Coreopsis.*

Le julienne des dames pousse dans les sols ordinaires.

HYPERICUM

MILLEPERTUIS - HYPÉRICACÉES

Linné a tiré le nom d'Hypericum du nom qu'employait déjà Dioscoride. Le millepertuis jouait un rôle considérable dans les superstitions au Moyen Âge. On lui attribuait alors le pouvoir de chasser les démons et les sorcières.

Ce genre comprend environ 200 espèces de plantes herbacées annuelles, vivaces ou arbustives, originaires des zones tempérées et subtropicales de l'hémisphère Nord. Cette plante à feuilles opposées possède des fleurs jaunes, composées de 5 pétales avec des étamines rayonnantes.

Espèces

H. calycinum, originaire du continent européen, est une plante semi-arbustive de 20 à 40 cm de haut, à feuillage persistant et aux rhizomes traçants. Les feuilles, longues de 5 à 10 cm, sont vert glauque. Les fleurs, larges de 6 à 8 cm, de couleur jaune d'or, possèdent de longues étamines rayonnantes. La floraison a lieu de juillet à septembre. Cette plante, surtout utilisée pour constituer d'importants couvre-sols, supporte le soleil, la mi-ombre et la sécheresse. **S 6**

H. polyphyllum, originaire d'Asie Mineure, est une petite plante de 15 à 20 cm de haut qui forme un petit buisson. Les tiges érigées au ras du sol sont très feuillées. Les toutes petites feuilles elliptiques sont légèrement lustrées.

H. calycinum.

Les fleurs, larges de 5 cm, en cymes denses, jaune brillant, éclosent en mai et juin. **S 2**

La forme 'Grandiflorum', aux fleurs un peu plus grandes que celles de l'espèce, offre une floraison remontante.

Culture

Planter dans un sol ordinaire, pas trop lourd, et même pierreux, bien drainé durant l'hiver. L'exposition peut être ensoleillée ou mi-ombragée.

Multiplication

Diviser les touffes entre octobre et mars; replanter aussitôt car il ne faut pas que les racines de ces plantes restent à l'air trop longtemps.

Semer les graines de *H. polyphyllum* au printemps en caissette.

Dans votre jardin. De nombreuses espèces de petite taille ne seront cultivées que dans les rocailles. Les deux espèces décrites trouveront place dans les bordures, sur les talus et les murets, au milieu des dallages fleuris...

H. polyphyllum, *une plante en touffe qui ornera les bordures, ainsi que les dallages fleuris.*

HYSSOPUS

HYSOPE - LAMIACÉES

S 5

Ce nom d'*Hyssopus *donné par Linné est dérivé de l'ancien nom grec* hyssopos *employé par Hippocrate.

Il n'existe qu'une seule espèce sous-arbustive et rustique, originaire d'Europe et d'Asie. Cette plante au feuillage presque persistant est plus souvent classée parmi les plantes officinales que parmi les plantes décoratives.

Espèce

H. officinalis mesure de 40 à 60 cm de haut pour un étalement de 40 cm. Les feuilles étroites et lancéolées sont aromatiques. Les fleurs tubulaires, réunies en épis terminaux, sont bleues, parfois blanches ou roses et s'épanouissent de juillet à septembre.

L'hysope offre des coloris variables : bleu, rose, parfois blanc.

Culture

Les hysopes aiment les sols secs, bien drainés et ensoleillés. D'une façon générale, elles acceptent aussi la mi-ombre et les bonnes terres de jardin, bien drainées l'hiver. Planter 6 à 8 pieds au mètre carré en automne ou au printemps.

Multiplication

Semer les graines en mars en caissette installée sous châssis froid ou, en avril, en pleine terre. Les coloris obtenus sont variables, mais une sélection peut facilement être opérée dès la première année.

Dans votre jardin. La végétation et la floraison des hysopes font merveille dans les jardins à vocation esthétique. On les associe dans des massifs ensoleillés aux lavandes, aux santolines, aux potentilles et aux sédums.

INCARVILLEA

INCARVILLÉE – BIGNONIACÉES

S 3, S 7 *(I. olgae)*

Ce genre fut ainsi nommé par Antoine-Laurent de Jussieu en souvenir du Révérend d'Incarville, missionnaire jésuite qui entretint une correspondance régulière en 1743 avec son oncle Bernard de Jussieu.

Le genre comprend 14 espèces de plantes vivaces, herbacées, plus ou moins rustiques, originaires du Turkestan, du Tibet et de Chine. Ces plantes présentent un rhizome en boule, des feuilles lobées et de grandes fleurs en forme de trompette.

I. delavayi est l'espèce la plus courante mais aussi la plus résistante et la plus rustique.

Espèces

I. delavayi, originaire du Yunnan, mesure jusqu'à 60 cm de haut. Les feuilles de 30 cm de long ont 6 à 11 paires de folioles lancéolées à grosses dents. Les tiges fortes, rigides et érigées, portent des fleurs rouge rosâtre à gorge jaune, groupées en corymbes lâches, qui s'épanouissent de juin à juillet.

I. mairei (I. grandiflora), originaire du Tibet, du Népal et de Chine, est une plante de petite taille qui ne dépasse guère 20 à 40 cm de haut. Les feuilles de 12 à 25 cm de long, vert foncé, sont ridées et composées de 2 à 3 paires de folioles à bords recourbés ou dentés. Les inflorescences ramifiées portent, de mai à juin, 2 ou 3 grosses fleurs rose carminé à rayures pourpres et à gorge jaune.

I. olgae, originaire du Turkestan, est une très belle espèce. Peu cultivée encore, elle devrait connaître un certain succès dans les années à venir. De 60 cm à 1 m de haut, elle présente de nombreuses tiges, ligneuses à la base, garnies de feuilles opposées de 5 à 10 cm de long, étroitement lobées, luisantes, portées par des

I. mairei, ***très proche de*** **I. delavayi,** ***trouvera place dans les ensembles paysagés très élaborés.***

rameaux souples. Les fleurs, d'un joli rose, s'épanouissent de juillet à septembre.

Culture

Installer ces plantes au soleil ou à mi-ombre, dans un sol frais, riche et bien drainé, même calcaire. Enterrer les rhizomes de 8 à 10 cm de profondeur en les espaçant de 30 cm en tous sens. Ces plantes, malgré leur apparente fragilité, sont rustiques et ne nécessitent aucune protection, jusque dans la région champenoise.

Multiplication

Les grosses touffes peuvent être divisées en fin d'été, mais l'opération est délicate car les souches résistantes sont difficiles à éclater. Semer les graines au printemps, en pépinière, et repiquer l'année suivante.

Dans votre jardin. On installe de préférence les incarvillées au premier plan des bordures herbacées. Ces plantes sortant tard en saison et disparaissant tôt, vers le mois d'août, il sera bon d'installer un petit couvre-sol à leur pied afin de ne pas laisser la terre dénudée trop longtemps. Des géraniums vivaces de petite taille rempliront très bien cet office.

INULA

AUNÉE - ASTÉRACÉES

S : *voir* chaque espèce

Inula, ainsi nommée par Linné, vient du grec **helenion,** ***déjà employé par Horace, mot lui-même dérivé de*** **helein,** ***purifier. Cette appellation évoque les propriétés médicinales de*** **Inula helenium.**

Ce genre comprend environ 120 espèces de plantes vivaces, souvent rustiques, originaires d'Europe, d'Asie et d'Afrique. Ces plantes de petite ou de haute taille, buissonnantes, montrent des feuilles alternes, entières ou dentées. Les capitules de fleurs, entourés de nombreuses ligules très minces, solitaires ou en corymbes, sont de couleur jaune.

Espèces

I. ensifolia, originaire d'Europe et du Caucase, est une petite espèce, de 25 à 30 cm de haut, qui forme des buissons denses. Cette plante à rhizomes courts, faiblement drageonnante, présente des tiges minces et raides très feuillées. Les feuilles raides et lancéolées sont vert brunâtre. Les fleurs en capitules solitaires présentent de nombreuses ligules jaune d'or. 'Compacta' est une forme naine, très dense et sphérique, de 20 cm de haut, qui fleurit de juillet à août. S 2

I. helenium, originaire d'Europe et d'Asie cen-

I. ensifolia ***espèce basse à réserver aux bordures, dallages, rocailles.***

I. magnifica, ***une plante robuste qui se plaira en lisière de bois ensoleillée.***

I. magnifica ***est une majestueuse espèce, d'une grande beauté, qui mérite d'être mise en valeur.***

trale, mesure de 1,80 à 2 m de haut. Le rhizome très vigoureux est utilisé en pharmacopée pour le traitement de la toux. Les feuilles de la rosette basale, elliptiques, à dents irrégulières, avec un feutrage gris au revers, peuvent atteindre 1 m de long. Les tiges vigoureuses partent du sol et portent en corymbes terminaux des capitules de fleurs jaunes, à fines ligules, qui apparaissent de juillet à août. **S 7**

I. hirta, originaire d'Europe, du Caucase et de Sibérie, mesure de 30 à 50 cm de haut. Les feuilles larges et lancéolées sont couvertes de poils raides des 2 côtés. Les tiges érigées, brunâtres, portent des capitules solitaires de fleurs jaune d'or, qui s'épanouissent de juin à septembre. Cette espèce forme un beau couvre-sol. **S 2**

I. hookeri, originaire du Sikkim en Inde, mesure 60 cm de haut. Les feuilles, vert mat, minces et lancéolées, sont finement dentées et recouvertes de poils fins des 2 côtés. Les tiges poilues et très feuillées portent, en corymbes lâches, les capitules de fleurs larges de 7 à 8 cm, à cœur orangé et aux longues ligules fines, jaune citron. Cette très jolie espèce, qui fleurit d'août à septembre, se montre parfois envahissante dans un petit jardin. **S 6**

I. magnifica, originaire du Caucase, mesure 1,50 m de haut. Les feuilles basales très décoratives, cordiformes à elliptiques, larges, vert foncé sur le dessus, sont grossièrement dentées et peuvent atteindre 1 m de long. Les tiges raides, tachetées de pourpre, portent, en corymbes, de juillet à août, des capitules de fleurs larges de 12 cm au cœur orange et aux ligules jaune d'or. **S 7**

I. orientalis (*I. glandulosa*), originaire d'Asie Mineure et du Caucase, est une plante qui mesure de 50 à 60 cm de haut, aux feuilles lancéolées, poilues, dentées et glanduleuses. Les tiges, parfois ramifiées dans le haut, portent des capitules solitaires de 9 cm de large, de couleur jaune orangé, du mois de juin à juillet. **S 3**

I. royleana, originaire de l'Himalaya, est une plante de 45 à 60 cm de haut. Les feuilles ovales et pointues sont pendantes. Les tiges non ramifiées portent des capitules de fleurs solitaires de 12 cm de diamètre, de couleur jaune d'or en juillet. Les boutons floraux sont brun noirâtre et velus avant leur épanouissement. Cette espèce s'hybride facilement en culture. **S 6**

Culture

Les aunées, surtout les espèces les plus grandes, préfèrent les sols profonds, frais et ensoleillés, situation dans laquelle elles deviennent superbes. Toutefois, les sols ordinaires et la sécheresse ne les empêchent pas de vivre longtemps.

Multiplication

Rajeunir les souches tous les 4 à 5 ans en procédant à leur division au printemps ou à l'automne. Replanter les éclats dans un sol préalablement enrichi de fumure organique bien décomposée, particulièrement pour les grandes espèces.

Dans votre jardin. Les espèces de haute taille trouveront place en fond de plates-bandes herbacées ou en jardin sauvage. Les plus petites décoreront les bordures en compagnie d'autres vivaces à floraison estivale.

I. hookeri ***montre des fleurs très découpées, plates, d'un joli jaune acide.***

IRIS

IRIS - IRIDACÉES

S 8

Ce nom donné par Linné était déjà employé par Hippocrate. Les nombreux déplacements d'Iris, fille d'Électre et messagère des dieux entre l'Olympe et la terre, s'accompagnaient toujours d'un poudroiement irisé : l'arc-en-ciel.

Ce genre exceptionnel, cultivé depuis la nuit des temps, comprend quelque 200 espèces largement réparties dans les zones tempérées de l'hémisphère Nord et plusieurs milliers de cultivars et d'hybrides auxquels la culture a donné des tons toujours plus vifs, toujours plus chatoyants.

La partie souterraine des iris, très variable, s'adapte à chaque type de terrain. Elle présente le plus souvent la forme d'un rhizome, d'un bulbe ou celle de racines charnues disposées en faisceaux. Les feuilles rubannées, en forme d'épée, sont longues, linéaires et lancéolées à l'extrémité. Les grosses fleurs rarement solitaires, sauf pour quelques espèces de culture difficile, sont entourées de bractées semblables à du papier ou de la soie ; elles présentent 3 pétales érigés, 3 sépales pendants, une barbe sur les sépales et une petite crête au milieu de la corolle.

Les iris font partie des plus jolies plantes à fleurs de jardin. De plus, leurs feuilles sont très décoratives et même persistantes dans le cas de quelques espèces. Ils seront associés en fonction de leurs besoins avec toutes sortes d'autres vivaces et d'arbustes.

Espèces

La classification actuelle des iris en sous-genres, sections, sous-sections et séries est complexe. Les espèces décrites ci-dessous, sont celles dont la culture est aisée.

I. chrysographes, originaire de l'ouest de la Chine, mesure de 50 à 70 cm de haut. Ses feuilles ressemblent à celles du roseau. Les tiges dépassant le feuillage portent en juin des fleurs violet-pourpre foncé, veloutées, dont les sépales sont ornés d'une mince marque dorée.

I. germanica est certainement un hybride mais son origine est inconnue. Cette plante a été tellement hybridée que tous ses cultivars, selon la classification américaine, sont maintenant recensés en trois groupes distincts.

- **Premier groupe, *I. x barbata-nana***

Cette appellation regroupe les iris miniatures (*pumila*) mesurant de 20 à 25 cm et les iris nains (*lilliput*) mesurant de 30 à 40 cm dont la floraison s'épanouit de mars à mai. Le nombre de cultivars est si important qu'il recouvre tous les coloris. Ce sont d'excellentes plantes de bordure, de rocaille, de dallage fleuri. On les cultive dans tous les sols bien drainés et bien ensoleillés.

- **Deuxième groupe, *I. x barbata-media***

La plupart des plantes de ce groupe sont des hybrides de *I. germanica* et *I. chamaeiris.* Leur hauteur varie de 40 à 50 cm et leur floraison apparaît en avril et mai, un peu après les petits iris et un peu avant les grands iris du groupe élatior.

- **Troisième groupe, *I. x barbata-elatior.***

Ces iris, les plus connus, mesurent plus de 70 cm de haut. Leurs hampes, raides et ramifiées, portent des grosses fleurs, très belles coupées. Il existe déjà plusieurs milliers de cultivars dans tous les coloris possibles. Pourtant, chaque année, apparaissent de nouvelles teintes et de nouvelles nuances.

I. orientalis, plus connu sous le nom de *I. spuria ochroleuca,* est originaire d'Asie Mineure et du Japon. Cette espèce de 60 à 80 cm de haut, au feuillage très étroit, donne des fleurs à

I. x barbata *— elatior 'Stepping out'.*

I. pallida *'Variegata' au feuillage panaché d'or et d'argent.*

I.spuria *'Sarong'*

I. x barbata-elatior *'Rancho Rose'.*

pétales jaunes et à sépales blanc pur de mai à juin.
La forme 'Gigantea' possède des grandes fleurs blanches à centre jaune.
I. pallida, originaire du sud de l'Europe, est une espèce de 1 m de haut, à feuilles larges. Les tiges raides et peu ramifiées portent des fleurs très odorantes de couleur bleu lavande à barbe blanche, et à crête orangée de mai à juin.
La forme 'Aureovariegata' a un feuillage panaché de jaune et 'Variegata' un feuillage panaché de blanc.
I. spuria, originaire d'Europe, du Caucase et d'Iran, mesure 60 cm de haut. Ses feuilles minces et rigides dégagent une odeur désagréable. Les fleurs bleu-violet, rayées de jaune sur les sépales, s'épanouissent de juin à juillet. 'Morning Tide' a des fleurs blanc bleuté à cœur jaune vif; 'Oroville' est jaune vif et 'Port of Call' est d'un bleu soutenu, avec le centre des sépales jaune.

Culture

Planter les rhizomes de juillet à septembre, dans une terre enrichie d'engrais organique très bien décomposée. Ne pas trop enfoncer les rhizomes sous terre: la pointe doit affleurer la surface du sol. Respecter une distance de plantation de 30 à 40 cm en tous sens entre chaque rhizome afin que chaque plante reçoive suffisamment de soleil pour bien fleurir. Arroser modérément pour empêcher le sol de se dessécher. A la plantation, il est recommandé, surtout dans les régions chaudes, de couper proprement la moitié des feuilles pour limiter la transpiration et faciliter ainsi la reprise.

Multiplication

Diviser les touffes dès qu'elles deviennent moins florifères, en moyenne tous les 3 ou 4 ans. Déterrer les rhizomes à l'aide d'une fourche-bêche pour ne pas les abîmer, puis retirer la terre autour des souches, en repérant les zones naturelles de clivage.
Pour diviser les iris, aucun outil n'est nécessaire; il suffit de séparer les rhizomes à l'endroit le plus faible. La division s'effectue de préférence en juillet. Replanter aussitôt pour permettre aux rhizomes de bien s'enraciner avant l'hiver.

Dans votre jardin. *I. X barbata-elatior* aime les terres ordinaires, même calcaires, bien drainées, surtout pendant l'hiver ainsi qu'une exposition soleillée pour bien fleurir. Il est nécessaire de rajeunir les touffes tous les 3 à 4 ans pour obtenir des plantes très florifères.
I. orientalis, espèce peu exigeante quant au sol, sera installée en plates-bandes mixtes, ou au bord d'un plan d'eau, au soleil.
I. pallida prend toute sa beauté dans un sol sec, très bien drainé, même calcaire et en plein soleil. Les terres lourdes leur sont souvent néfastes.
I. spuria, qui se développe dans tous les sols ordinaires, forme avec le temps de belles touffes vigoureuses et produit de belles fleurs à couper.

On associe I. chrysographes *avec des plantes à fleurs jaunes.*

I. x b.-e-.
'Siva-Siva'.

KNIPHOFIA

KNIPHOFIA - LILIACÉES

S 8

Ce genre est dédié à Johann Hieronymus Kniphof, professeur de médecine au XVIIe siècle à Erfurt, en Allemagne.

Quelque 60 à 70 espèces, originaires d'Afrique du Sud et de Madagascar, composent ce genre. Ces jolies plantes vivaces, très décoratives, plus ou moins rustiques sous nos climats, présentent des feuilles charnues, parfois rugueuses au toucher, vert foncé, persistantes l'hiver. A la fin du printemps, jaillissent de nombreuses tiges qui portent des épis cylindriques, de 15 à 30 cm de long, de fleurs rouges, roses, jaunes ou bicolores.

Espèces

Les espèces décrites ici sont d'une bonne rusticité et sont les seules à être cultivées.

K. galpinii, originaire du Transvaal, de 70 cm de haut, est une espèce solide et rustique. Les feuilles sont étroites et graminiformes. Les minces épis de fleurs d'un orange éclatant apparaissent en septembre.

Le cultivar 'Beressingham Comet' est un peu plus petit et possède des fleurs jaune orangé au bas de l'épi et rouges en haut.

K. hybride, d'origine horticole, possède de nombreux hybrides, créés par croisement entre différentes espèces, à la taille et aux coloris variés, qui ont le mérite d'être assez robustes.

K. tuckii, originaire d'Afrique du Sud, mesure 60 cm de haut. Les longues feuilles sont dentées sur le bord. Les fleurs forment des épis denses, de couleur rouge corail. Elles deviennent jaune pâle lorsqu'elles s'épanouissent. Cette espèce superbe et robuste fleurit longtemps.

K. galpinii *forme une bonne association avec* Salvia azurea *et* Aster amellus.

Les hybrides sont de hauteur variable ; ici le cultivar 'Little Maid', de 60 à 70 cm de haut.

Culture

Les kniphofias aiment les sols légers, plutôt sableux, frais mais non détrempés, et ensoleillés. Dans les régions aux hivers rudes, rabattre les feuilles d'un tiers de leur longueur et protéger la souche d'une couverture de feuilles.

Multiplication

Bien que le semis soit facile et souvent spontané, il est préférable de diviser les souches au printemps pour conserver la pureté des coloris de chaque espèce ou de chaque cultivar.

Dans votre jardin. On associe ces plantes aux *Iris germanica,* aux *Gypsophila paniculata,* aux agapanthes, aux asters... Dans les régions les plus froides, les espèces décrites ici nécessiteront une légère protection hivernale.

Les kniphofias montrent de robustes hampes florales ne nécessitant pas de tuteurage.

LAVANDULA

LAVANDE - LAMIACÉES

S 5

Le nom de ce genre, donné par Linné, vient de* lavare, *laver, allusion à l'usage de l'eau qui portait son nom et était extraite de la lavande officinale.

Depuis des siècles, on protège le linge avec des sachets de lavande aux propriétés insecticides.

Le genre compte une trentaine d'espèces de plantes herbacées annuelles et de petits buissons arbustifs, spontanés des régions méditerranéennes à l'Inde. Ces plantes ont des feuilles à bord lisse ou faiblement découpé. Les fleurs en verticilles sont réunies en épis denses, soit érigés, soit pendants. Les fleurs bleues, violettes, pourpres, plus rarement blanches, ont la lèvre supérieure en 2 parties et la lèvre inférieure en 3 parties.

Espèces

L. angustifolia (*L. officinalis*), native du bassin méditerranéen, forme un petit buisson arbustif à feuillage persistant de 1 m de haut et de même étalement. Les feuilles lancéolées sont couvertes d'un feutrage gris lorsqu'elles sont jeunes. Les épis sont composés de verticilles de 6 à 10 fleurs bleu violacé et s'épanouissent de juin à juillet.

La forme 'Alba' a des fleurs blanches et la forme 'Rosea' des fleurs roses.

L. latifolia, originaire des régions méditerranéennes, diffère de l'espèce précédente par son port plus lâche et ses feuilles plus larges. Elle est aussi légèrement plus vigoureuse. Les fleurs bleu-violet s'épanouissent avec 2 ou 3 semaines de retard par rapport à celles de *L. augustifolia.*

Il existe quelques hybrides issus de ces deux espèces. Parmi ceux-ci, 'Dutch' a des feuilles larges et des fleurs violet clair assez tardives; 'Hidcote', des épis de fleurs très denses de couleur lilas foncé; 'Nana Compacta' est une forme trapue aux épis de fleurs bleu lilas. Ces deux derniers hybrides sont plus proches de *L. angustifolia* que de *L. latifolia.*

L. stoechas, originaire des régions méditerranéennes, est un sous-arbrisseau très rameux qui mesure 50 à 60 cm de haut et autant de large. Les feuilles lancéolées sont recouvertes d'un duvet grisâtre sur les deux faces. De grandes bractées violacées très décoratives surmontent les fleurs pourpre foncé disposées en épis denses.

Les lavandes forment de jolies haies basses bien fournies.

Culture

Les lavandes aiment les sols secs, argilo-siliceux, légèrement humifères et même calcaires, en plein soleil. Planter de préférence au printemps dans les régions humides et rabattre tous les ans les rameaux défleuris, à la cisaille à haies ou au sécateur, pour conserver à la plante son aspect trapu et buissonnant.

Multiplication

Prélever des rameaux de 10 cm de long au mois de septembre et installer ces boutures dans un endroit chaud, abrité, et dans une terre très sableuse. Repiquer au printemps dans le jardin toutes les boutures enracinées.

Dans votre jardin. Ces plantes au parfum inimitable composeront de petites haies, des dallages fleuris ou des plates-bandes en association avec des santolines, des hysopes, des échinops et des éryngiums.

Association harmonieuse du bleu des lavandes et d'une clématite* Jackmanii *'Superba'.

LAVATERA

LAVATÈRE - MALVACÉES

S 5 *(L. albia)*, S 7 *(L. thuringiaca)*

Le nom de ce genre donné par Linné est dédié aux deux frères Lavater, médecins et naturalistes suisses qui vivaient à Zurich au XVIIIe siècle.

Les lavatères, en particulier L. olbia, *craignent les grands froids.*

Ce genre comprend 25 espèces herbacées, annuelles, bisannuelles ou vivaces, largement dispersées dans les régions tempérées du globe. Elles sont très voisines des mauves et les fleurs en forme de trompette ressemblent à celles de l'hibiscus. Les deux espèces décrites sont vivaces et d'une rusticité moyenne.

Espèces

L. olbia, originaire du sud de la France et du Portugal, est une grande plante dont la hauteur et l'étalement peuvent atteindre 2 m. Les tiges ligneuses à la base possèdent des feuilles tendres et grisâtres à 5 lobes. Les fleurs larges de 7 à 8 cm sont rose pâle.

La forme 'Rosea' montre des fleurs d'un coloris rose plus vif que l'espèce. La floraison a lieu de juin à octobre.

L. thuringiaca, originaire d'Europe et de Russie, un peu moins grande et moins large que l'espèce précédente, ne dépasse guère 1,50 m en culture. Elle forme un large buisson, très feuillu, vert foncé, à feuilles variables, présentant 5 lobes plus ou moins découpés. Les fleurs, rose clair, larges de 4 à 5 cm, s'épanouissent de juillet à septembre. Cette espèce, plus rustique que la précédente, accepte des sols plus frais.

L. thuringiaca *s'adapte aux sols frais.*

Culture

Réserver aux lavatères un endroit abrité des vents, dans tous les terrains bien drainés en plein soleil. *L. thuringiaca* accepte aussi les endroits mi-ombragés. Planter à l'automne ou, de préférence, au printemps, dans les régions froides.

Multiplication

Effectuer la division des souches au printemps. L'espèce *L. thuringiaca* se sème aussi au printemps en caissette entreposée dans un endroit chaud, mais la levée des graines est assez capricieuse.

Dans votre jardin. Les lavatères décrites seront installées en fond de plates-bandes ensoleillées où leur longue floraison sera très appréciée parmi des arbustes ou des grandes plantes vivaces comme les asters.

L. olbia *'Rosea', une espèce vigoureuse et florifère dans les endroits chauds.*

LIATRIS

LIATRIDE - ASTERACÉES

S 7

La liatride porte le surnom familier de plume du Kansas, en raison de ses inflorescences légères et de ses contrées d'origine.

Le genre compte une quinzaine d'espèces herbacées vivaces, originaires d'Amérique du Nord. Ces plantes aux rhizomes courts, tubérisés, forment des touffes de feuilles semblables à celles des graminées. Leurs inflorescences sont en épis ou en grappes et les fleurs s'ouvrent à partir du haut.

L. spicata *et ses cultivars 'Floristan' font d'excellentes fleurs à couper.*

Espèces

L. pycnostachya, originaire des États-Unis, atteint 80 cm à 1,20 m de haut. Les feuilles linéaires très serrées sont longues de 30 cm. Les capitules de fleurs pourpre clair se présentent en épis épais, longs de 40 à 50 cm, de juillet à septembre.

L. scariosa, originaire du Canada et des États-Unis, est une plante de 50 cm à 1,50 m de haut. Elle se distingue des autres espèces par des inflorescences plus épaisses, presque en grappes, portant des capitules de fleurs de 5 cm de diamètre dans les tons bleus. Les feuilles lancéolées sont également assez larges. La forme 'Alba' possède des fleurs blanches en inflorescences très plumeuses. Ces plantes fleurissent de juillet à octobre.

L. spicata, originaire des États-Unis, est une plante de 60 cm à 1,20 m de haut, aux feuilles linéaires larges de 10 mm. Les capitules de fleurs, aux tons rouge variés, portés en épis denses et érigés, s'épanouissent de juillet à octobre. La forme 'Floristan Weiss' montre des fleurs blanches et 'Floristan Violet' des fleurs mauve violacé.

L. spicata *'Kobold', un cultivar de petite taille.*

Culture

Ces plantes acceptent toutes les bonnes terres de jardin plus ou moins fraîches suivant les espèces et réclament le soleil. *L. scariosa* et *L. pycnostachya* préfèrent les sols secs, très bien drainés l'hiver. *L. spicata* accepte plus facilement les sols frais, même partiellement humides.

Multiplication

Effectuer la multiplication par semis au printemps pour les espèces et, impérativement, par division des souches pour les cultivars à la même époque.

Dans votre jardin. Les liatrides seront installées en plates-bandes mixtes en compagnie de *Coreopsis, Echinacea,* et parmi des graminées.

LIMONIUM

LIMONIUM - PLUMBAGINACÉES

S 3

Limonium *était autrefois classé dans le genre* Statice, *en compagnie de* Armeria. *Son nom vient probablement de* leimon, *prairie, l'habitat de ces plantes.*

Le genre comprend environ 300 espèces de plantes herbacées annuelles ou vivaces, rustiques ou non, originaires des régions méditerranéennes et d'Asie centrale. Ces plantes possèdent des fleurs groupées en grosses inflorescences en forme d'épis ou de panicules.

Espèce

L. latifolium, originaire de Roumanie et de Bulgarie, est une plante de 50 à 80 cm de haut et de 40 à 60 cm de large. Les feuilles, vert foncé, de 25 à 50 cm de long et de 8 à 15 cm de large, sont spatulées à elliptiques, très légère-

L. latifolium ***peut entrer dans la composition de bouquets secs.***

ment velues. Les tiges à rameaux lâches portent de grandes inflorescences semblables à celles de la gypsophile. Les petites fleurs violet clair s'épanouissent de mai à juillet-août.

Culture

Bien que cette plante accepte toutes sortes de terrains, elle se plaira en terre bien drainée, voire caillouteuse ou sableuse, en plein soleil.

Multiplication

Pratiquer le semis au printemps, en caissette entreposée dans un endroit chaud et humide.

Dans votre jardin. Installez *L. latifolium* en plates-bandes mixtes avec *Achillea, Oenothera, Santolina* et des graminées.

LINARIA

LINAIRE - SCROPHULARIACÉES

S 7

Le nom de ce genre, donné par Adrien de Jussieu, tire son nom de* linon, *lin. C'est une allusion à la ressemblance des feuilles de la linaire à celles du lin.

Le genre compte, selon les botanistes, entre 75 et 150 espèces de plantes herbacées annuelles, bisannuelles ou vivaces, généralement rustiques, originaires des régions tempérées de l'hémisphère Nord.

Espèces

L. purpurea, originaire d'Europe du Sud, atteint 50 à 90 cm de haut. Cette plante rustique possède un feuillage linéaire vert moyen d'où émergent des fleurs bleu-pourpre tachées de blanc, groupées en épis souples, de juillet à septembre. Le cultivar 'Canon J. Went' est splendide avec sa floraison rose tendre qui se détache sur le feuillage gris bleuté.

L. triornithophora, originaire d'Espagne et du Portugal, est une plante robuste de 50 cm à 1,30 m de haut, érigée, au feuillage vert glauque et aux rameaux simples et ramifiés. Les feuilles lancéolées sont disposées en verticilles. Les inflorescences lâches, en épis, portent, de juillet à septembre, de grosses fleurs de 40 à 50 cm de long, lilas pâle rayé de lilas sombre. C'est une des plus belles espèces mais d'une rusticité moyenne.

Culture

Les linaires aiment les terrains secs et très bien drainés en plein soleil. Elles acceptent néanmoins des sols frais dans lesquels, toutefois, elles vivront moins longtemps.

Multiplication

L'espérance de vie de ces plantes est assez courte (généralement de 3 ou 4 ans) mais elles se ressèment abondamment dans un terrain graveleux. Dans un sol lourd, elles se comporteront en plantes bisannuelles et seront semées en caissettes, au printemps, sous châssis froid. En revanche, il faut diviser les touffes de *L. p.* 'Canon J. Went' car les semis ne reproduiront pas fidèlement le cultivar.

Dans votre jardin. Les linaires décrites seront de bonnes plantes d'accompagnement en plates-bandes mixtes, appuyées contre d'autres plantes vivaces au port rigide car elles ont une fâcheuse tendance à se coucher sous le poids des fleurs. Vous les associerez aux armoises, *Salvia azurea,* ainsi qu'aux grands chrysanthèmes à fleurs blanches.

L. triornithophora *se comporte comme une plante annuelle dans les régions froides.*

L. triornithophora, ***une espèce spectaculaire de rusticité moyenne.***

LINUM

LIN - LINACÉES

S 6

Le nom de ce genre, donné par Linné, vient de* linon*, qui, en grec, désignait la plante du même nom.

Environ 200 espèces de plantes annuelles, vivaces, arbustives, rustiques et non rustiques, originaires des zones tempérées et subtropicales de l'hémisphère Nord, composent ce genre. Les feuilles ont un bord lisse, sans pétiole. Les fleurs de différentes couleurs, divisées en 5 parties, connaissent une vie brève mais elles se succèdent régulièrement durant toute la période de floraison. Les espèces décrites montrent une bonne rusticité.

Espèces

L. narbonense, originaire des régions méditerranéennes, est une très jolie espèce de 50 cm de haut, aux feuilles lancéolées munies de dents pointues. Les fleurs bleu sombre, d'une bonne tenue comparées à celles des autres espèces, s'épanouissent de juin à juillet.
La forme 'Heavenly Blue' a des fleurs d'un bleu plus sombre.
L. perenne, originaire d'Europe et plus résistante que l'espèce précédente, donne des résultats très variables selon les conditions, allant de 10 à 60 cm de hauteur avec des tiges au ras du sol ou érigées. Les fleurs bleu ciel, très vives, s'épanouissent par journées ensoleillées de juin à août.

On cultive le lin commun depuis des millénaires pour son huile et ses fibres.

L. narbonense, ***une fleur légère, pour sol caillouteux et sec.***

Culture

Les lins préfèrent un sol maigre et léger, très bien drainé durant l'hiver. *L. narbonense* ne supporte pas les sols lourds. Leur durée de vie est assez brève mais, dans un sol léger, les touffes réapparaissent çà et là chaque année par semis spontané. Planter de préférence au printemps à raison de 6 à 8 pieds au mètre carré.

Multiplication

Semer au printemps ou effectuer des boutures de 10 cm de long sur des tiges non fleuries, de mai à août.

Dans votre jardin. On associera *L. narbonense* et *L. perenne* avec *Inula ensifolia, Veronica spicata* et *Filipendula hexapetala.*

LUPINUS

LUPIN - FABIACÉES

S 6

Le nom de* Lupinus*, donné par Linné, était aussi celui employé par Virgile et Pline ; il dériverait de* lupus*, loup, allusion au fait que ces plantes vigoureuses et voraces épuisent les sols.

Le genre comprend plus de 300 espèces de plantes herbacées annuelles, vivaces et semi-arbustives, principalement originaires d'Amérique du Nord. Les racines présentent de petites nodosités. Les feuilles rondes sont divisées en forme de main et les fleurs portées en épis érigés. Il n'y a pas si longtemps, des catalogues de pépiniéristes spécialisés montraient encore des dizaines de cultivars de lupins, laborieusement multipliés par prélèvement des pousses latérales. Les nouveaux hybrides, que les semis reproduisent fidèlement, ont eu raison de ces plantes. On peut le regretter car c'est un peu le patrimoine horticole qui disparaît. Ainsi, des teintes ne sont plus guère proposées, notamment le lupin aux fleurs chocolat, maintenant pratiquement introuvable.

On peut confectionner des bouquets champêtres avec les fleurs de lupins.

Espèce

L. polyphyllus, originaire d'Amérique du Nord, est une plante robuste qui peut atteindre 1,20 m de haut. Les feuilles divisées en 13 à 15 folioles lancéolées sont glabres sur le dessus et poilues au revers.
Les épis de fleurs, longs de 50 cm, bleu lilas, roses chez 'Roseus' ou blancs chez 'Albus',

L. hybride *de Russel 'Mon Château.*

HYBRIDES DE RUSSEL	
Cultivars	**Fleurs**
'La Châtelaine'	Roses à étendard blanc
'La Demoiselle'	Blanches
'Le Chandelier'	Jaune pâle à étendard jaune d'or
'Le Gentilhomme'	Bleues à étendard blanc
'Les Pages'	Carmin brillant
'Mon Château'	Rouge brique

s'épanouissent de juin à juillet. Les hybrides de Russel conservent les mêmes caractéristiques que le type et les semis les reproduisent à peu près fidèlement.

Culture

Les lupins seront installés en plein soleil, dans un sol totalement dépouvru de calcaire, bien drainé mais profond et toujours frais, surtout au printemps lors du démarrage de la végétation. Couper les fleurs fanées, en épargnant le feuillage. Une seconde floraison aura lieu à l'automne, moins spectaculaire que la première.

Multiplication

Ces plantes n'ont pas une grande longévité. Il est bon de procéder à la division des touffes, au printemps, tous les 3 ou 4 ans. Replanter les éclats dans un sol riche, mais éviter les engrais riches en azote qui les épuisent très rapidement. On peut également semer les graines au printemps, en caissette ou en pépinière, après avoir trempé les graines dans l'eau pendant 24 heures. Repiquer dès que les plantules ont 2 à 4 feuilles, car la racine pivotante supporte mal la transplantation.

Dans votre jardin. Vous installerez les lupins à la végétation vigoureuse en bordure de massif près de chrysanthèmes, de pavots, de *Delphinium,* où leurs fleurs seront facilement accessibles.

Sur les talus ensoleillés, les lupins montrent toute la magnificence de leur floraison.

LYCHNIS

LYCHNIDE et COQUELOURDE - CARYOPHYLLACÉES

Le nom de* Lychnis *donné par Linné est l'ancien nom utilisé par Dioscoride, dérivé de* lychnos*, lampe, allusion à la couleur vive des fleurs.

L. x a. 'Vesuvius' se caractérise par un très joli feuillage brun sombre et de grosses fleurs rouge écarlate.

Le genre compte 20 à 30 espèces de plantes annuelles ou vivaces, herbacées, originaires des zones arctiques et tempérées. Les fleurs, disposées en bouquets, en cymes ou corymbes terminaux, montrent des corolles à 5 pétales libres. Ce genre a vu nombre de ses espèces classées au fil des siècles dans des genres proches tels *Agrostemma, Githago, Melandrium, Petrocoptis, Silenopsis* et *Viscaria.*

Espèces

L. x arkwrightii (*L. chalcedonica croisé avec L. x haageana*) possède une souche charnue de 40 à 50 cm de hauteur qui forme des petites touffes de feuilles lancéolées et brunâtres. Les grandes fleurs, rouge orangé brillant et lumineux, s'épanouissent en juin et juillet. Cette espèce disparaît complètement après la floraison. **S 4**

L. chalcedonica, originaire de Russie, est une grande plante de 70 cm à 1,20 m de haut, aux feuilles longues et ovales, munies de poils raides. Les fleurs rouge feu, portées en cymes de 5 à 10 cm de diamètre, ont une forme caractéristique, ce qui leur ont valu l'appellation de croix de Jérusalem ou croix de Malte. Elles s'épanouissent de juin à août, au sommet des tiges raides et érigées. **S 7**

L. coronaria, originaire d'Europe, d'Asie Mineure et de l'Himalaya, est une plante de 60 à 90 cm de haut, entièrement recouverte d'un feutrage gris. Les feuilles longues et ovales partent des tiges érigées, ramifiées en haut. Les fleurs solitaires, de 2 à 3 cm de diamètre, sont d'un rouge carmin exceptionnellement lumineux et s'épanouissent de juillet à août. Lors d'un semis, certaines plantes prennent parfois des teintes blanches ou rose carminé. **S 6**

L. coronaria *se ressème abondamment.*

L. chalcedonica, *au port dressé.*

L. x haageana (*L. fulgens croisé avec L. coronaria*) atteint 30 à 40 cm de haut. Les grosses fleurs rouge feu sont portées par des tiges poilues et s'épanouissent de juin à septembre. Cette très belle plante de bordure ne vit pas très longtemps mais montre une floraison tout à fait remarquable. **S 4**

L. viscaria (*Viscaria vulgaris*), originaire d'Europe et de Sibérie, peut atteindre 50 cm de haut. Les tiges noueuses sont gluantes, visqueuses sous les nœuds ce qui lui a valu son nom. Les feuilles basales sont étroites et lancéolées, celles des tiges sont plus petites. Les fleurs, rose rougeâtre à rouge-pourpre, sont portées en panicules de mai à juin. **S 3**

La forme 'Albiflora' a des fleurs blanches. La forme 'Plena' a, quant à elle, de jolies fleurs doubles rose carminé, agréables en bouquets.

Culture

Toutes ces plantes aiment être installées au soleil, dans un sol normal, ordinaire mais bien drainé, surtout durant l'hiver. Dans un sol humide, les espèces à la vie brève se comportent comme des plantes annuelles.

Multiplication

Les espèces se ressèment souvent spontanément et en abondance dans les jardins. Diviser les hybrides et les cultivars tous les 2 ou 3 ans pour rajeunir les souches.

Dans votre jardin. En fonction de leur taille, les lychnides trouveront place dans des plates-bandes ensoleillées, en compagnie de *Phlox paniculata*, des grandes campanules... ou en dallage, en bordure, sur un muret fleuri, avec d'autres vivaces de soleil.

MALVA

MAUVE - MALVACÉES

***Le nom du genre, donné par Linné, vient du latin* malva, *(malachê, en grec), qui désignait la mauve. Ce dernier terme serait dérivé du verbe* malassein, *assoupir, en raison des propriétés émollientes de* Malva sylvestis.**

Malva moschata, ***aux fleurs délicats.***

Le genre se compose d'une trentaine d'espèces herbacées, annuelles ou bisannuelles pour la plupart, originaires d'Europe, d'Asie et d'Afrique du Nord. Ces plantes, souvent buissonnantes et ramifiées, fleurissent en été et peu d'entre elles conviennent au jardin. Les deux espèces décrites ci-dessous sont vivaces mais leur durée de vie est brève.

En Italie, la mauve a été surnommée « le remède à toute maladie ».

Espèces

M. alcea, native d'Europe, plante robuste de 80 cm à 1 m de haut, aux tiges très ramifiées, possède un port buissonnant. Les feuilles en forme de cœur sont profondément divisées en 5 lobes. Les fleurs rose clair, de 5 à 6 cm de diamètre, s'épanouissent de juin à juillet.

La forme 'Fastigiata' a un port plus dressé, la forme 'Fastigiata Alba' donne des fleurs blanches. **S 5**

M. moschata, espèce haute de 60 à 80 cm, montre des tiges érigées et ramifiées, couvertes de poils raides. Les feuilles de la base sont rondes, à lobes en forme de main. Les plus hautes se divisent en 5 à 7 parties étroites. Les fleurs rose clair, odorantes, apparaissent de juin à septembre-octobre.

'Alba' est une forme à fleurs blanches. **S 6**

Culture

Les mauves poussent aisément dans tout sol ordinaire, plutôt sec et bien drainé, au soleil. Planter 5 à 6 pieds au mètre carré à l'automne ou au printemps.

Multiplication

Dès la maturité des graines, des semis en pépinière sont possibles mais il vaut mieux prélever les jeunes plantules dans le jardin lorsqu'elles ont 2 à 4 feuilles et les replanter à l'endroit désiré. Ne pas trop attendre pour la transplantation car lorsque les plantules grossissent, la racine pivotante devient fragile et la reprise en sera compromise. Les mauves se ressèment également abondamment.

Dans votre jardin. Vous planterez les mauves au milieu d'une plate-bande exposée au soleil, en compagnie d'autres plantes vivaces à floraison estivale et automnale.

M. moschata ***peut se montrer très florifère et accepte les sols secs.***

MARRUBIUM

MARRUBE - LAMIACÉES

S 4

Le nom de ce genre, donné par Linné, est l'ancien mot latin utilisé par Pline, désignant une ville du Latium habitée par les Marses.

Ce genre comprend environ 30 espèces de plantes vivaces ou sous-arbustives, principalement originaires des régions méditerranéennes. Ces végétaux aromatiques, qui ne sont pas tous d'une bonne rusticité, sont principalement appréciés pour la beauté de leur feuillage.

Espèce

M. supinum, originaire d'Espagne, est une plante en coussins, de 30 à 40 cm de haut et 40 à 70 cm d'étalement. Les petites feuilles rondes, recouvertes d'un duvet soyeux blanc grisâtre, confèrent tout son charme à cette plante. Les petites fleurs en épis, rose lilas, s'épanouissent en juin-juillet.

M. supinum *est rustique jusque dans le nord de la France.*

Culture

Les possesseurs de terrains secs, caillouteux, seront charmés par cette jolie plante, qui aime les endroits chauds et brûlants et déteste les longues périodes d'humidité. On la plantera dans un mélange de graviers et de terreau ou dans un sol caillouteux.

M. supinum ***forme des coussins étalés.***

Multiplication

Prélever des boutures en septembre, les installer sous châssis froid dans du sable pur, et aérer tous les jours pour éviter la formation de moisissures. On peut également éclater les souches au printemps.

Dans votre jardin. Vous installerez *M. supinum* en compagnie des campanules, *Nepeta, Helianthemum,* iris, *Penstemon, Sedum...*

MORINA

MORINA - DIPSACACÉES

S 3

Ce genre fut dédié par Linné à Louis Morin, botaniste français de la fin du XVIe siècle.

Le genre comprend 17 espèces de plantes vivaces, herbacées, plus ou moins rustiques, originaires de l'Himalaya et du sud-ouest de la Chine. L'espèce décrite ci-dessous, la plus courante en culture, est d'une bonne rusticité.

M. longifolia, ***une plante élégante, pour sol poreux.***

Espèce

M. longifolia, originaire du Népal, est une plante de 60 à 80 cm de haut dont les racines charnues et épaisses ne sont pas sans rappeler celles des asperges. Les feuilles piquantes ressemblent à celles des chardons. Les fleurs tubulées et étroites, blanches à l'éclosion, virent lentement au rose puis au pourpre en fin de floraison. Ces fleurs apparaissent en juin et se succèdent jusqu'en septembre.

Culture

Planter de préférence cette espèce au printemps dans une terre riche mais très bien drainée, au soleil ou à mi-ombre légère. Elle déteste les sols lourds et mal aérés. Sa perte en hiver est plus souvent due à un excès d'humidité qu'à un froid trop vif. Dans les régions froides et humides, protéger la souche d'une litière de feuilles sèches placées sous une feuille de plastique.

Multiplication

Semer au printemps en caissette installée sous châssis froid.

Dans votre jardin. L'élégance de *M. longifolia* sera très remarquée au sein d'un dallage fleuri, sur un muret, dans un jardin de rocaille ou en bordure de plates-bandes herbacées.

NEPETA

HERBE AUX CHATS - LAMIACÉES

S 4

Le nom de ce genre, donné par Linné, déjà employé par Pline, dériverait de la ville d'Étrurie, Nepete.

Ce genre comprend environ 150 espèces de plantes vivaces ou suffrutescentes, rustiques ou non, originaires des zones tempérées, rarement tropicales, de l'hémisphère Nord. Celles qui sont décrites ici font partie des quelques rares espèces intéressantes pour le jardin. Leurs fleurs bleues sont terminales ou axillaires. Ces plantes de sol sec sont attrayantes par la qualité et la durée de leur floraison.

N. sibirica *accepte des conditions de sol assez diverses.*

Espèce

N. x faassenii (*N. mussinii x N. nepetella*), haute de 25 à 30 cm, forme un petit buisson. Les feuilles, petites et ovales, recourbées, sont d'un joli vert grisâtre. Les fleurs bleu lavande, mellifères, disposées en verticilles, s'épanouissent de mai à septembre si les tiges sont rabattues après chaque floraison.

La forme 'Six Hills Giant' est plus robuste et mesure 50 à 60 cm de haut et de large; 'Superba' a une végétation très dense et des fleurs d'un bleu plus sombre que l'espèce.

N. mussinii, originaire du Caucase et de l'Iran, est une plante de 25 à 30 cm de haut, aux feuilles recourbées, en forme de cœur. Les fleurs, bleu lavande, en épis terminaux, s'épanouissent de juin à juillet et remontent en août si les hampes défleuries ont été coupées. Cette espèce, assez rare en culture, est souvent confondue avec la précédente.

N. nervosa, originaire du Cachemire, de 40 à 50 cm de haut, forme un buisson érigé et lâche, très remarquable. Les feuilles lancéolées sont vert grisâtre. Les fleurs bleu ciel, portées en épis cylindriques denses, s'épanouissent de juillet à septembre. **S 7**

Les herbes au chat conviennent bien aux bordures.

N. sibirica, ***au port spectaculairement dressé, est une espèce vigoureuse.***

N. sibirica (*N. macrantha, N. tatarica* ou *Dracocephalum sibiricum*), originaire d'Asie, est une plante de 50 à 70 cm de haut. Les tiges feuillées et érigées portent des fleurs bleues, allongées et tubulaires qui s'épanouissent de juin à octobre. **S 5**

'Souvenir d'André Chaudron' est un vieux cultivar français, plus petit que l'espèce. Il produit aussi les fleurs les plus grandes du genre, abondantes et d'un joli bleu foncé. Ces plantes s'étalent très vite dans un sol bien drainé et peuvent devenir imposantes par leurs racines traçantes.

Culture

Les *Nepeta* aiment tout sol bien drainé, même maigre et caillouteux, calcaire ou non, et l'exposition en plein soleil. Ces plantes craignent, plus que le froid, l'humidité stagnante dans un sol froid durant l'hiver.

Multiplication

Opérer par semis pour les espèces, au printemps, par bouturage des rameaux non fleuris en août-septembre ou par division des touffes au printemps, surtout pour *N. sibirica.*

Dans votre jardin. Vous installerez les *Nepeta* au milieu d'un dallage fleuri, sur un muret sec, dans un jardin de grande rocaille ou en bordure de plates-bandes ensoleillées, en compagnie de *Phlomis, Penstemon, Anaphalis* et d'armoises.

On évitera de faire voisiner *N. sibirica* avec des espèces à faible développement.

ŒNOTHERA

ŒNOTHÈRE - ŒNOTHÉRACÉES

S 7

Ce nom, donné par Linné, a plusieurs origines possibles, développées dans l'encadré ci-dessous.

La floraison de O. odorata *présente un contraste ininterrompu de juin à octobre.*

Le genre compte environ 200 espèces de plantes herbacées, rarement arbustives, annuelles, bisannuelles ou vivaces, presque toutes rustiques, pour la plupart originaires d'Amérique du Nord. Les plantes vivaces décrites ci-dessous connaissent une riche floraison éclatante, d'assez longue durée, qui s'épanouit souvent la nuit.

Espèces

O. missouriensis (*O. macrocarpa*) est originaire du sud des États-Unis. Sa souche robuste s'enfonce profondément dans le sol. Les rameaux étalés lui confèrent un port rampant d'une hauteur de 15 à 20 cm. Les feuilles sont lancéolées, vert clair et fermes. Les fleurs, qui apparaissent d'abord en longs boutons effilés, voient s'épanouir leur corolle de 10 cm de large, jaune citron, de mai à septembre. Cette espèce fleurit souvent la nuit, mais les fleurs sont encore bien épanouies de jour. **S 1**

O. missouriensis, ***pour les murets fleuris ou les rocailles.***

DES ÂNES, DES FAUVES ET DU VIN...

La formation à partir des mots grecs *onos,* âne, et *thèr,* bête sauvage, expliquerait le nom vulgaire d'herbe aux ânes de l'œnothère. Les racines *oïnos,* vin, et *thera,* proie, et, par extension recherche ardente, autorisent deux interprétations: la racine infusée dans du vin permettrait d'apprivoiser les fauves ou bien la racine de *O. biennis,* que l'on prenait à la fin d'un repas incitait à boire du vin. Par ailleurs, l'ancien nom grec donné par Théophraste désigne une plante à la saveur vineuse.

O. odorata, var. *sulphurea,* est originaire d'Amérique du Sud. Cette belle espèce de 30 à 60 cm de haut vit peu de temps, mais sa beauté et la durée de sa floraison méritent qu'on la ressème tous les 2 ans. Les tiges tendres et souples qui partent d'une rosette basale de feuilles sont délicatement arquées et feuillues, teintées de rouge. Les fleurs, teintées de rose rougeâtre lorsqu'elles sont en bouton deviennent à leur plein épanouissement d'un joli jaune pâle, puis reprennent en se fanant un ton rouge corail ou rose saumoné.

O. tetragona (*O. fruticosa* var. *youngii*), originaire des États-Unis, atteint de 30 à 50 cm de haut. Les rosettes des feuilles basales forment des touffes d'où émergent des tiges dressées, glabres et de couleur vert bleuté, qui portent de juin à août des fleurs jaune clair. La forme 'Fyrverkeri' présente des fleurs rougeâtres lorsqu'elles sont en boutons, qui deviennent jaune d'or à leur plein épanouissement.

O. tetragona.

Culture

Ces plantes, peu exigeantes sur la nature du sol qu'elles préfèrent bien drainé, surtout durant l'hiver, demandent une exposition ensoleillée. Installer 6 pieds au mètre carré à l'automne ou au printemps, dans les régions aux hivers humides.

Multiplication

Le semis est facile en caissette, au printemps, à une température de 18 à 20 °C. Mettre sous châssis froid, à une température de 12 à 14 °C dès que la germination a commencé. Repiquer les plantules en godets lorsqu'elles ont 4 feuilles et installer les plantes dans le jardin au cours du printemps suivant.

Dans votre jardin. Vous planterez les espèces hautes en compagnie des valérianes, phlox, et *Penstemon*. *O. missouriensis* accompagnera les *Sedum, Iris, Cynoglossum*... au sein d'une bordure ensoleillée ou d'un dallage.

ORIGANUM

ORIGAN – LAMIACÉES

S 4

Le nom de ce genre, donné par Linné, dérivé de son ancien nom grec employé par Hippocrate, vient de* oros, *montagne, et de* ganos, *éclat, parce que ces plantes se plaisent dans les montagnes, entre pierres et roches.

O. vulgare, ***condimentaire et décorative.***

Ce genre comprend environ 15 à 20 espèces de plantes herbacées annuelles, bisannuelles ou vivaces, originaires d'Europe et d'Asie centrale. Il compte surtout des espèces naines qui sont de véritables petites merveilles mais réservées aux rocailles abritées et aux serres alpines. Les espèces décrites ci-dessous montrent une bonne rusticité.

O. vulgare *sert beaucoup dans l'industrie alimentaire en qualité de plante aromatique.*

Espèces

O. laevigatum, originaire d'Asie Mineure et de Syrie, atteint 20 à 50 cm de haut au moment de la floraison. Les petites feuilles, vert grisâtre, poilues dans la nervure centrale, sont triangulaires et longues de 1 cm. Les nombreuses fleurs, réunies en panicules lâches, ont un petit calice pourpre. La corolle rose-pourpre est entourée de bractées également pourpres. Cette belle espèce, au contraste agréable entre les fleurs roses et le feuillage bleuté, fleurit d'août à septembre.

O. vulgare, originaire d'Europe et d'Asie, d'une hauteur très variable (entre 20 et 60 cm), est drageonnante mais peu envahissante, et dégage un agréable parfum aromatique. Les tiges, érigées et ramifiées, sont poilues comme les feuilles ovales. Les petites fleurs réunies en ombelles ou en panicules, pourpres à rose carminé, rarement blanches, s'épanouissent de juillet à octobre.

La forme 'Aureum' est très décorative avec son feuillage jaune d'or. La forme 'Compactum', de 15 à 20 cm de haut, est plus compacte.

Culture

Ces plantes aiment les situations sèches, voire très sèches, et l'exposition en plein soleil. La nature du sol leur est indifférente, mais elles détestent l'humidité hivernale. Planter, de préférence au printemps, 6 à 9 pieds au mètre carré.

Multiplication

Lorsque ces plantes ne se ressèment pas elles-mêmes, on peut procéder à la division des touffes au printemps.

Dans votre jardin. *O. laevigatum* et *O. vulgare* trouveront place en bordures herbacées, dallages fleuris et sur des murets.

La forme 'Aureum' éclaire agréablement les plates-bandes sèches.

PAEONIA

PIVOINE - PAÉONIACÉES

S 6

Le nom de ce genre donné par Linné vient de l'ancien nom grec utilisé par Théophraste. Il est dédié au médecin Paeon qui, le premier, suivant la légende, se servit de cette plante pour guérir Pluton blessé par Hercule.

P.officinalis *'Flore Pleno'*.

Le genre compte 30 à 35 espèces de plantes herbacées ou arbustives, vivaces, originaires d'Europe et d'Asie. Ces magnifiques plantes sont toutes intéressantes pour le jardin. Presque toutes les pivoines herbacées possèdent une souche charnue qui rappelle celle des dahlias. Les feuilles, portées par des tiges puissantes, sont souvent divisées en 3 parties et découpées en filigranes pour nombre d'espèces. Les fleurs, relativement grosses, s'épanouissent au printemps ou au début de l'été. Ces plantes incomparables vivent très longtemps à condition qu'elles ne soient pas dérangées. Leur floraison, souvent éphémère, est compensée par un feuillage qui reste décoratif jusqu'aux premiers jours de l'automne. On ne décrira ici que des pivoines herbacées, à l'exclusion des pivoines arbustives.

Seules les racines sans yeux de P. officinalis *peuvent bourgeonner.*

Espèces

P. emodi, originaire de l'Himalaya, peut atteindre 60 à 80 cm de haut. Cette très belle espèce montre des fleurs blanches et pendantes de 7 à 10 cm de diamètre, groupées sur une tige. Elles s'épanouissent en juin.

P. lactiflora (*P. albiflora-chinensis*) est originaire de Sibérie, de Chine, de Corée et du Tibet. Cette pivoine qui mesure jusqu'à 1 m de haut, possède des racines en forme de fuseaux, de couleur brune. Les feuilles divisées en 2 ou 3 parties ont des folioles dentelées, lancéolées à elliptiques, à nervures rouges. Le calice extérieur des fleurs qui s'épanouissent en juin ressemble à des feuilles. La corolle, d'abord rose, devient blanche et les étamines sont jaune d'or.

P. tenuifolia, *au feuillage finement découpé.*

Il existe d'innombrables hybrides, aux couleurs et aux fleurs de forme simple, semi-double ou double.

P. mlokseuitschii, originaire du Caucase, est une très belle espèce de 60 à 80 cm de haut. Les feuilles biternées sont de couleur vert bleuté, à nervures et aux bords rougeâtres. Les grosses fleurs jaune pâle à 8 pétales et à étamines jaune d'or s'épanouissent de mai à juin. Cette magnifique espèce est malheureusement rare en culture et n'y est pas toujours pure.

P. officinalis, originaire d'Europe, haute de 60 cm, a des tiges glabres ou poilues. Les feuilles inférieures, coriaces et biternées, aux folioles de 30 cm de long découpées en nombreuses parties elliptiques, sont glabres sur le dessus et densément feutrées au revers. Les fleurs rouges, larges de 9 à 13 cm, ont des anthères jaunes portés par des filets rouges. Les graines qui suivent la floraison de mai à juin sont d'un joli bleu foncé brillant.

Cette espèce a donné par hybridation de nombreuses formes à fleurs simples, doubles ou semi-doubles, roses ou rouges, rarement blanches.

'Mollis' possède des feuilles grisâtres, teintées de lilas sur le dessus et pubescentes au revers. Les tiges de 30 cm de long sont fortement poilues. Les fleurs simples, rouge magenta, aux étamines jaune d'or, semblables à celles de *P. officinalis,* sont plus petites et s'épanouissent en mai.

P. peregrina, originaire d'Italie, des Balkans et de Roumanie, atteint jusqu'à 90 cm de haut. Les feuilles vert brillant sur le dessus sont très découpées. Les folioles, recourbées sur le bord, portent une légère ligne de poils sur les nervures principales. Les fleurs de 11 cm de large qui surmontent les tiges érigées sont rouge carmin, parfois blanches, et s'épanouissent de mai à juin. Les capsules de fruits sont poilues et portent des graines rouge sombre brillant.

La forme 'Alba' est blanche. 'Otto Froebel' a des fleurs simples orange saumoné.

P. tenuifolia, native d'Europe, du Caucase et d'Asie Mineure, haute de 50 cm, possède des

P. lactiflora *'Bowl of Beauty'.*

P. officinalis *type fleurit en mai.*

P. lactiflora *'Festiva Maxima'.*

P. mlokosewitschi *offre un coloris rare pour le genre.*

Paeonia lactiflora *'Etincelante'*.

tiges non ramifiées. Les feuilles en 3 lobes, très finement découpées, semblent retomber en cascade vert sombre. Les fleurs, rouge brique à rouge pourpre, aux étamines rouges, s'épanouissent en mai. Elles sont suivies de capsules poilues, rouge brunâtre, contenant des graines brun foncé brillant.
La forme 'Latifolia' a des feuilles plus larges et des fleurs rouge carmin. 'Plena' montre des fleurs doubles rouge sombre et 'Rosea' des fleurs simples rose tendre.

Culture

Les pivoines ont besoin de quelques années pour atteindre leur plein développement. Elles réclament un sol riche et plutôt lourd pour bien croître. Les hybrides demandent un sol mi-lourd, argileux et humifère et, par temps chaud, un peu d'humidité. Le sol doit aussi être bien drainé durant l'hiver et ne recéler aucune trace de calcaire sauf pour *P. tenuifolia*.
On mentionne souvent le fait que les pivoines doivent rester en place et ne pas être dérangées. En fait, tout dépend de la richesse du sol. On peut déplanter un pied lorsque, après avoir atteint son plein développement, celui-ci produit des fleurs en moindre quantité. Les hybrides, qui poussent vite, peuvent rester 10 à 15 ans à la même place si le sol est riche. En revanche, les pivoines à développement lent n'auront épuisé le sol qu'après, parfois, 20 ou 30 ans.

Le feuillage des pivoines reste décoratif après la floraison.

Les pivoines aiment recevoir régulièrement de l'engrais, particulièrement dans leur période de plein développement, quelques années après leur plantation. On apportera l'engrais avec mesure, surtout chez les espèces botaniques, et on le choisira plutôt organique que chimique. Il convient de l'incorporer au printemps par un sarclage autour de la motte.
Les pivoines aiment le soleil ou la mi-ombre légère et supportent un peu de sécheresse après leur floraison. Chez certaines espèces, le feuillage disparaît dès la fin juillet.

Multiplication

Les souches se divisent difficilement car elles sont très épaisses et assez fragiles. Après avoir déterré la touffe, d'août à octobre, laisser sécher quelques heures, puis enlever la terre pour bien apercevoir les yeux. À l'aide d'une serpette, couper des fragments de souches possédant au moins 2 ou 3 yeux développés et une racine vigoureuse. Replanter les éclats dans une terre neuve. Ne pas replanter de pivoine là où l'on vient d'en déterrer avant 2 ou 3 années. Il ne faut pas enfouir trop profondément les éclats. En général, la base des yeux ne doit pas se trouver à plus de 4 ou 5 cm dans le sol. Plantées trop profondément, les pivoines demanderont des années avant de refleurir. Bien que les pivoines soient rustiques, la première année, on recouvrira les souches d'une litière de feuilles mortes ou d'aiguilles de pin durant l'hiver. On peut également semer les graines fraîches, mais elles germent lentement, parfois au bout de 2 années seulement. De plus, les plantes issues de semis ne fleurissent que 6 ou 7 ans après la germination.

Dans votre jardin. Les pivoines peuvent être associées à d'autres plantes vivaces, mais elles révèlent toute leur beauté plantées isolément ou placées entre des arbustes à floraison printanière tels que *Chaenomeles, Kerria, Kolkwitzia...*

QUELQUES HYBRIDES PARMI LES PLUS COURANTS DE *P. LACTIFLORA*

Cultivar	Forme des fleurs	Couleur des fleurs
'Albert Crousse'	Doubles, très grandes	Rose tendre teinté de crème
'Carrara'	Simples, très grandes	Blanche à cœur jaune
'Félix Crousse'	Doubles	Rouge rubis
'Kimo Kimo'	Simples	Carmin teinté de grenat
'Laura Dessert'	« Anémone »	Crème saumoné devenant pâle
'Sarah Bernhardt'	Doubles	Rose brillant
'Washington'	Doubles	Rose vif à centre plus clair

PAPAVER

PAVOT - PAPAVÉRACÉES

S 3, S 6 *(P. orientale)*

Le nom de ce genre, donné par Linné, est dérivé de l'ancien nom employé notamment par Pline, qui tire son origine du mot celtique* papa, *bouillie. On mettait autrefois les graines du coquelicot (*P. rhoeas*) dans la bouillie des enfants pour les calmer ou les faire dormir. Cet usage n'est pas à recommander car il crée une accoutumance dont on ignore les effets à long terme sur le cerveau des jeunes enfants.

Environ 100 espèces de plantes herbacées, annuelles ou vivaces très différentes, originaires surtout d'Europe, d'Asie et d'Amérique du Nord pour quelques-unes, composent ce genre. Ces plantes, de taille basse à moyenne, produisent du latex et leurs boutons floraux sont pendants. Les pavots vivaces apportent des notes de couleur très vives au jardin.

Les pavots donnent souvent de magnifiques fleurs à couper.

Espèces

P. atlanticum, originaire du Maroc, est une plante de 40 cm de haut à souche épaisse et ligneuse. Les feuilles hérissées de poils soyeux sont lancéolées et découpées. Les fleurs orangées, larges de 5 à 7 cm de diamètre, s'épanouissent de juin à juillet. Les fleurs mates se balançant au-dessus du feuillage légèrement bleuté forment un spectacle ravissant.

Le pavot d'Orient offre des fleurs magnifiques aux pétales ondulés.

P. nudicaule, originaire des régions arctiques et subarctiques des zones de l'hémisphère Nord, est le fameux pavot d'Islande dont les tiges gracieuses, hautes de 40 à 50 cm, s'animent au moindre souffle de vent. Les feuilles basales, vert bleuté, sont découpées. Les tiges poilues, sans feuilles, portent chacune une fleur jaune à orange d'avril jusqu'à l'automne. Cette espèce montre des couleurs très variables qui vont

Certains cultivars de* P. orientale, *très hauts sur tiges conviennent aux fonds de massifs, avec en premier plan, des plantes plus basses ; ici, des sedums.

Les pavots d'Islande, **P. nudicaule,** *plantés en masses, forment de merveilleux massifs multicolores.*

Les semis de P. O. *'Beauty of Livermere' reproduiront le cultivar.*

souvent du blanc pur au rouge foncé en passant par tous les tons jaunes.
'Matador', de 50 cm de haut, possède de très grosses fleurs rouge écarlate. Ces plantes n'ont pas une durée de vie très longue. Il est prudent d'en ressemer quelques pieds chaque année lorsque ceux-ci ne le font pas spontanément.
P. orientale, originaire d'Orient, de loin le plus connu, atteint 1 m à 1,50 m de haut. Les racines charnues s'enfoncent profondément dans le sol. Les feuilles sont divisées et les tiges portent une seule fleur, souvent énorme pour le genre, de couleur vive, rose-rouge avec une tache noire à la base de chaque pétale, de mai à juillet. Cette espèce souvent hybridée, notamment avec *P. bracteum,* a donné de nombreux et très beaux cultivars.
P. pilosum est une plante haute de 80 cm à 1 m, aux tiges ramifiées et feuillues, très poilues. Les feuilles sont allongées et dentées. Les fleurs en corymbes variant du rouge brique à l'orange s'épanouissent de juin à juillet.

Culture
Les pavots sont à l'aise dans tous les sols bien drainés, mais préfèrent un terrain maigre, pauvre, même calcaire, bien exposé au soleil. Dans un sol caillouteux, bien retourner la terre pour que ces plantes puissent enfoncer et développer leurs longues racines charnues.

Multiplication
Semer en caissette au printemps. On peut aussi bouturer les racines après la floraison ou encore, en hiver, en les replantant dans du sable, sous châssis froid.

Dans votre jardin. Vous installerez les pavots au milieu de plates-bandes bien exposées au soleil, en les associant aux *Anaphalis triplinervis, Gypsophila paniculata, Nepeta,* et aux armoises à feuillage gris, ce qui les fera ressortir merveilleusement. *P. pilosum* n'a pas l'opulence de *P. orientalis* mais cette espèce sera très belle au sein de bordures herbacées ou dans une grande rocaille.

LES CULTIVARS DE P. ORIENTALE

Forme	Couleur des fleurs	Particularités
'Allegro'	Rouge clair, très lumineux	Végétation basse et trapue
'Beauty of Livermere'	Rouge sombre	Grandes fleurs très vigoureuses, à bords ondulés, sur hampes droites et rigides
'Catharina'	Rose saumoné à forte macule noire	—
'May Queen'	Orange foncé	Très belles fleurs de bouquet
'Picotee'	Blanc, plus ou moins bordé de saumon	Grandes fleurs
'Rapsberry Queen'	Rouge lie-de-vin	Fleurs énormes
'Turken Louis'	Rouge brillant à macules noires	Tiges bien dressées, fleurs moyennes, pétales frangés

PENSTEMON

PENSTEMON - SCROPHULARIACÉES

S 5, S 3 *(P. barbatus)*

Ce genre nommé par Mitchell vient de penta, cinq, et de stemon, étamine, allusion à la cinquième étamine, bien présente et bien développée, mais stérile.

Il existe environ 250 espèces de plantes herbacées ou ligneuses, plus ou moins rustiques, originaires d'Amérique du Nord et du Mexique. Ces plantes érigées, buissonnantes ou prostrées donnent très souvent de magnifiques fleurs en grappes ou en épis terminaux. Les espèces décrites ici sont vivaces, mais d'une rusticité assez médiocre dans les régions froides et humides. On peut cependant tenter leur culture, car elles offrent bien souvent une des plus belles floraisons d'été.

P. menziesii *et* P. scouleri, *durant l'hiver, demandent beaucoup de soins.*

Espèces

P. barbatus (*Chelone barbata*), originaire du Mexique, possède un rhizome traçant qui s'étend rapidement. Les feuilles lancéolées sont vert glauque. Les tiges hautes de 1 m portent les fleurs, en épis minces et pyramidaux. Elles sont écarlates, blanches, roses ou violettes et fleurissent de juillet à septembre. 'Coccineus' connaît une floraison rouge écarlate de juin à octobre. 'Praecox Nanus', qui est un croisement avec *P. virgatus*, ne mesure que 50 cm de haut.

P. campanulatus, originaire du Mexique et du Guatemala, est une plante de 30 à 60 cm de haut, aux feuilles linéaires et pointues, acaules ou engainantes. Les inflorescences lâches ont des fleurs campanulées bleu-violet.

'Richardsonii', très florifère, donne des fleurs violet rougeâtre à rouge vineux.

P. hartwegii, originaire du Mexique, est une plante de 80 cm de haut, souvent buissonnante. Les feuilles lancéolées à ovales sont glabres et brillantes. Les tiges florales, presque sans feuilles, longues et lâches, portent des fleurs rouge écarlate ou pourpre foncé, longues de 5 cm et groupées par 3, qui fleurissent de juin à août.

Parmi les cultivars, on retiendra: 'Andenken an Hahn' aux fleurs rouge foncé, de 70 cm de haut et 'Southgate Gem', ne dépassant guère 60 cm, aux grosses fleurs rouge vif.

P. hirsutus, originaire d'Amérique du Nord, est une plante de 50 à 80 cm de haut, aux feuilles basales ovales et dentées. Les tiges érigées portent des poils collants. Les fleurs pendantes, disposées en équerre sur les longues tiges, sont de couleur violette à gorge poilue et apparaissent de juin à août.

P. menziesii, originaire d'Amérique du Nord, haute de 20 cm, possède des rameaux ligneux et des feuilles larges et ovales. Les inflorescences, en grappes de fleurs pourpres, s'épanouissent de mai à août.

P. scouleri, originaire d'Amérique du Nord, est une plante de 25 à 30 cm de haut, aux feuilles lancéolées et pointues, dentées et persistantes durant l'hiver. Cette espèce semi-arbustive porte, en juin, des fleurs en grappes violet-pourpre. La forme 'Albus' est très décorative avec ses jolies fleurs blanches. 'Six Hills' a des tiges de 15 cm de haut surmontées de fleurs rose pourpré.

Culture

Installer ces plantes de préférence au printemps, dans un sol très poreux, léger et humifère, en plein soleil ou à mi-ombre légère. Elles redoutent les sols lourds, humides et mal drainés qui les asphyxient durant l'hiver. *P. menziesii* et *P. scouleri* aiment les sols calcaires. *P. hartwegii* craint le froid humide. On le réservera aux endroits protégés.

Multiplication

Pour être sûr de conserver des plantes pendant l'hiver, il est prudent de prélever quelques boutures en septembre et de les installer en pot, hors gel, en compagnie des fuchsias durant tout l'hiver. On peut également semer, pour les espèces, les graines en caissette, de décembre à mars.

Dans votre jardin. Les espèces les plus grandes fleuriront les plates-bandes herbacées en compagnie de *Coreopsis*, d'érigerons, *Œnothera* et de phlox hybrides. Les espèces basses agrémenteront un dallage fleuri, un muret de pierres sèches ou une grande rocaille.

P. hybride *'Souvenir d'Adrien Régnier' forme des touffes buissonnantes.*

PHLOMIS

PHLOMIS - LAMIACÉES

Ce nom de genre donné par Linné vient de l'ancien nom grec, employé par Dioscoride, qui désignait le genre* verbascum, *allusion à la ressemblance des feuilles cotonneuses que présentent les espèces de ces genres.

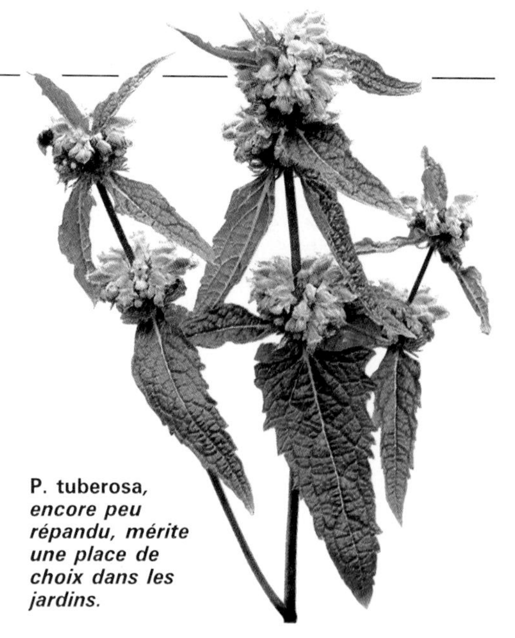

P. tuberosa, ***encore peu répandu, mérite une place de choix dans les jardins.***

Le genre compte une cinquantaine d'espèces herbacées ou arbustives, plus ou moins rustiques, originaires des régions méditerranéennes et d'Asie de l'Ouest. Ces plantes ont la particularité d'avoir des fleurs groupées les unes contre les autres en verticilles sur la tige et des feuilles laineuses ou feutrées opposées. Les espèces décrites ont une bonne rusticité.

P. fruticosa, *au feuillage persistant, sera mis en valeur près de plantes à feuillage sombre.*

Espèces

P. fruticosa, originaire du pourtour méditerranéen, est, parmi les espèces arbustives, la plus rustique du genre et peut atteindre 1,50 m de haut. Les tiges sont couvertes d'un duvet jaunâtre et les feuilles ovales d'un feutrage laineux blanc. Les grosses fleurs jaune clair sont groupées en verticilles sur les tiges et apparaissent de juin à août. **S 4, S 6**

P. herba-venti, originaire d'Europe de l'Ouest, est une plante de 60 cm de haut, aux feuilles lancéolées et crénelées, coriaces et vertes sur les deux faces. De juin à août apparaissent les fleurs violettes ou rose rougeâtre, groupées en verticilles. **S 4, S 6**

P. samia, espèce native d'Asie Mineure et de Hongrie, est une jolie plante herbacée dont les tiges florales atteignent 1 m de haut. Les feuilles basales, ovales à lancéolées sont couvertes de poils épineux et ressemblent à celles de *P. fruticosa*. Les tiges qui ne fleurissent pas forment un couvre-sol épais de 50 à 60 cm de haut. Les tiges florales apparaissent en juin et portent des fleurs jaune beurre, groupées en verticilles, qui restent décoratives jusqu'en hiver. **S 4**

P. tuberosa, jolie plante robuste native d'Europe centrale, présente la silhouette de *P. samia* en plus élancée, les tiges pouvant atteindre 1,50 m. Les feuilles en forme de cœur sont festonnées et forment une jolie touffe dense. Les tiges florales émergent largement au-dessus de la touffe et portent des fleurs en nombreux verticilles, rose pourpré à barbe blanche. Cette espèce élégante est parfaitement rustique et devrait trouver place plus souvent dans les jardins. **S 4, S 8**

P. fruticosa, ***la sauge de Jérusalem, un phlomis arbustif.***

Culture

Ces plantes aiment les expositions chaudes et ensoleillées, dans un sol ordinaire mais très bien drainé, surtout durant l'hiver. Dans les régions humides, planter de préférence au printemps à raison de 2 à 4 pieds au mètre carré.

Multiplication

Diviser les touffes au printemps et les repiquer aussitôt. Multipliez *P. fruticosa* par boutures prélevées en septembre et installées sous châssis froid dans un sol très bien drainé.

Dans votre jardin. Ces plantes fortes et belles, à la végétation vigoureuse, assurent une excellente couverture du sol grâce à leurs feuilles larges et épaisses. Elles s'accorderont bien en plein soleil avec les grandes armoises, les *Centhrantus ruber,* les rosiers buissonnants ou à l'avant-plan d'arbustes.

P. herba-venti forme de jolis buissons très denses et vous pourrez l'installer avec bonheur près de lavandes, romarins ou parmi quelques touffes de *Nepeta.*

PHUOPSIS

PHUOPSIS – RUBIACÉES

S 1

Le nom de ce genre créé par Grisbach vient de* phu*, qui était autrefois le nom d'une valériane et d'*opsis*, aspect, par allusion à la ressemblance de ces plantes entre elles.

Le phuopsis peut devenir envahissant pour les petits jardins.

Le genre compte seulement une espèce apparentée à *Asperula,* et autrefois classée dans le genre *Crucianella*. Cette plante à port rampant forme d'épais matelas avec le temps.

Espèce

P. stylosa (*Crucianella stylosa*), originaire du Caucase et d'Asie Mineure, possède des tiges carrées, fines et prostrées au ras du sol, qui forment des touffes de 20 à 30 cm de haut et qui peuvent avec le temps couvrir plusieurs mètres carrés. Les petites feuilles, sans pétiole, sont disposées en verticilles. Les inflorescences terminales, sphériques, se composent d'une multitude de petites fleurs odorantes, d'un joli rose frais, aux pistils très proéminents, qui s'épanouissent de juin à août. Dans les régions clémentes, le feuillage est presque persistant. Ailleurs, il persiste jusqu'aux premiers froids vifs.

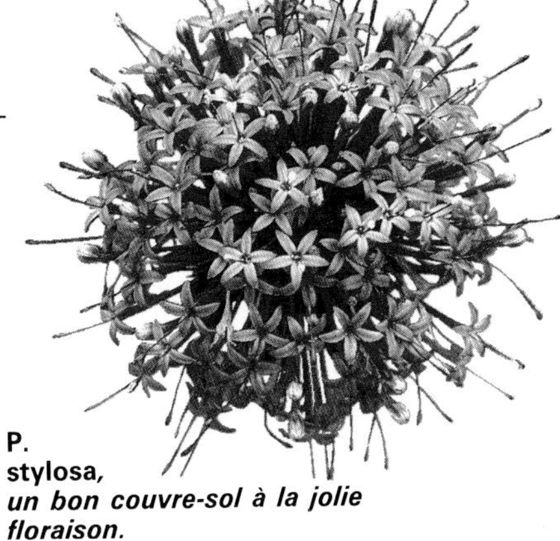

P. stylosa, ***un bon couvre-sol à la jolie floraison.***

Culture

Cette plante rustique sera installée au soleil ou à mi-ombre légère dans tout sol ordinaire, plutôt sec ou bien drainé. Une certaine fraîcheur au printemps et en cours d'été ne lui déplaît pas, mais la terre ne doit pas être humide durant l'hiver.

Multiplication

Prélever des tiges enracinées et repiquer aussitôt d'octobre à mars lorsque le temps le permet.

Dans votre jardin. Le phuopsis couvrira agréablement des talus ensoleillés ou sera installé dans une grande rocaille. Il accompagnera des bulbes printaniers qui n'auront aucune peine à traverser son couvert et qui l'égayeront dès les premiers beaux jours.

PHYSALIS

COQUERET et AMOUR EN CAGE – SOLANACÉES

S 6

Le nom de ce genre donné par Linné vient littéralement de* physalis*, mot désignant une plante dont le calice se gonfle comme une vessie.

Ce genre comprend une centaine de plantes herbacées, annuelles et vivaces.

Espèce

P. alkekengi var. *franchetii*, originaire du Japon, de Corée et de Chine mesure environ 1 m de haut. Les feuilles sont alternées à bords ondulés. Aux petites fleurs blanchâtres insignifiantes succèdent des fruits très décoratifs. Les baies rondes, enfermées dans les sépales soudés de couleur orange vif, ressemblent à des petites lanternes suspendues, pouvant mesurer jusqu'à 7 cm de long. Lorsque les baies ne sont pas coupées, la partie charnue des sépales disparaît. Il ne restera plus que la dentelle fine des nervures laissant apparaître le fruit rouge vermillon. 'Pigmy' est une forme naine ne dépassant guère 20 cm de haut.

On peut confectionner des bouquets secs avec les coquerets.

Culture

Cette plante se plaît dans tous les sols ordinaires, même calcaires et accepte aussi bien les terres fraîches que sèches, au soleil ou à mi-ombre.

Multiplication

Diviser les touffes entre octobre et mars.

Dans votre jardin. Cette plante érigée et buissonnante sera plantée dans un jardin à caractère sauvage, car ses rhizomes vigoureux envahissent le moindre espace laissé libre à leur conquête. Toutefois, si on lui oppose d'autres vivaces vigoureuses telles que *Helianthus, Chrysanthemum serotinum* ou *Lysimachia punctata*, elle restera à sa place.

P. alkekengi ***convient bien au jardin sauvage.***

PLATYCODON

PLATYCODON - CAMPANULACÉES

S 6

Le nom de ce genre créé par De Candolle vient de* platys*, large, et de* kôdôn*, cloche, par référence aux fleurs de ces plantes.

Ce genre compte une seule espèce originaire d'Extrême-Orient. Cette jolie cousine des campanules est une excellente plante, d'une bonne rusticité, qui mériterait une utilisation plus courante dans les jardins.

P. g. 'Mariesii' est particulièrement florifère.

Espèce

P. grandiflorum est une plante aux racines charnues, assez fragile. Les feuilles, vert bleuté, sont opposées ou verticillées, ovales à lancéolées. Les remarquables fleurs bleu profond forment de larges clochettes de 6 à 8 cm de diamètre et s'épanouissent au bout des tiges de juillet à octobre.

Il existe plusieurs cultivars aussi remarquables que l'espèce. 'Album' aux fleurs blanches veinées de bleu est très élégant et mesure 50 cm de haut ; 'Perlmutterschale' qui signifie « coquille de nacre », aux fleurs rose nacré mesure 60 cm de haut. 'Mariesii', plus petit avec 40 cm de haut possède des fleurs bleues comme l'espèce. 'Apoyama', cultivar encore plus petit, ne dépasse guère 20 cm de haut et montre des fleurs bleu-violet.

Culture

Ces plantes sortent de terre assez tard, pouvant laisser croire qu'elles ont disparu. Il ne faut pas gratter le sol trop tôt car les racines, qui sont fragiles, risqueraient de ne pas se remettre d'un coup de binette intempestif. Planter 6 à 8 pieds au mètre carré, au printemps, dans tous sols riches et très bien drainés, au soleil ou à mi-ombre.

Multiplication

La division des touffes n'est guère possible. Semer les graines en caissette au printemps ; la germination, qui a lieu aux alentours de 20 °C, est irrégulière mais ne pose pas de problème particulier. Repiquer les plantules lorsqu'elles montrent 4 à 6 feuilles, en pépinière ou en godets. Installer dans le jardin au cours du printemps suivant.

Ces plantes ne connaissent pas une grande longévité. Toutefois, lorsqu'elles se plaisent, elles vivent plusieurs années en place.

Dans votre jardin. Vous installerez le platycodon en bordure, en dallage fleuri ou dans une grande rocaille en compagnie de potentilles, d'incarvillées ou de géraniums vivaces de petite taille. Dans cette situation, les grandes fleurs de platycodon seront très remarquées.

P. grandiflorum ***aime les sols profonds.***

POLEMONIUM

VALÉRIANE - POLÉMONIACÉES

S 7

Ce genre créé par Linné tire son nom d'une ancienne appellation donnée par le Grec Dioscoride, dédié à* Polemon, *roi d'Orient.

Le genre compte une vingtaine d'espèces de plantes annuelles ou vivaces, généralement rustiques, originaires d'Europe, d'Asie et d'Amérique du Nord. Ces plantes ont souvent un feuillage découpé et des fleurs en épis en forme de clochette ou de coupelle.

P. caerulum *ne vit pas longtemps mais se ressème souvent abondamment.*

Espèces

P. caeruleum, la valériane grecque, est native d'Europe, d'Asie et d'Amérique du Nord. Cette plante de 50 à 80 cm de haut forme des touffes au feuillage divisé. Les inflorescences érigées portent des fleurs bleu ciel ou blanches qui se succèdent d'avril à juillet.

'Sapphire' est une forme aux fleurs d'un joli bleu intense.

P. pauciflorum est une jolie plante de 40 à 60 cm de haut, aux feuilles découpées vert foncé. Les tiges florales, très ramifiées, portent les fleurs solitaires ou groupées, en forme de longs tubes de 4 cm, jaune clair ombré de rose à l'intérieur, en juin et juillet.

P. pulcherrimum est une petite plante de 20 à 25 cm de haut, native de l'Alaska et du Canada, très rustique, avec des feuilles découpées. Les inflorescences en cymes portent des fleurs en forme de clochette large, d'un joli bleu clair lumineux à tubes jaunes, en juin et juillet.

P. reptans est une espèce de 30 à 40 cm de haut, native des États-Unis. Cette plante d'une bonne longévité est munie d'une souche faiblement traçante. Comme chez les autres espèces, son feuillage est découpé. Les inflorescences en corymbes lâches portent des fleurs en forme de clochette de couleur bleu clair de mai à juin.

La forme 'Blue Pearl' offre des fleurs d'un bleu plus soutenu.

Culture

Ces valérianes se plaisent dans tous les sols bien drainés, exposés au soleil ou situés à mi-ombre. Rabattre les touffes après la floraison prolonge leur vie souvent éphémère.

Multiplication

Diviser les touffes en octobre et replanter aussitôt les éclats. Dans les régions humides, mieux vaut effectuer cette opération au printemps.

On peut aussi semer les graines en caissette ou en pépinière au printemps.

Les semis de *P. caeruleum* ne donnent pas toujours des plantes conformes au pied mère. Il vaut mieux diviser les souches tous les 2 ans pour avoir des plants robustes et florifères.

Dans votre jardin. Les espèces décrites sont de bonnes compagnes des benoîtes, ancolies, doronics et cœurs de Marie. Vous les installerez en plates-bandes et, pour les petites espèces, au milieu d'un dallage fleuri, sur un muret ou au sein d'un jardin de rocaille.

P. coeruleum ***est une plante peu exigeante et florifère.***

POTENTILLA

POTENTILLE - ROSACÉES

S : *voir* chaque espèce

Le nom de ce genre créé par Linné vient de* potens, *puissant, allusion aux propriétés médicinales de ces plantes.

Ce genre comprend plus de 300 espèces suffrutescentes ou herbacées généralement rustiques, originaires des zones tempérées de tout l'hémisphère Nord. Les espèces vivaces décrites ci-dessous sont souvent moins connues que les espèces arbustives. Ces potentilles présentent des formes très variables et comportent tout un choix d'hybrides susceptibles de ravir les jardiniers les plus exigeants.

P. alba *appréciera une exposition chaude.*

Espèces

P. alba, haute de 20 à 25 cm, est originaire d'Europe. Les tiges non drageonnantes sont couchées et portent des feuilles d'un joli vert argenté, divisées en 5 doigts. Les nombreuses petites fleurs blanches de 2 cm de large apparaissent d'avril à juin. **S 1**

P. argentea, jolie petite plante de 30 cm de haut, est originaire du nord de l'Europe. Elle forme de petites touffes de feuilles divisées, vert foncé sur le dessus, feutré de blanc au revers. Les hampes très ramifiées portent un nuage de petites fleurs jaunes qui apparaissent de mai à août. **S 4**

P. atrosanguinea, haute de 40 cm, est originaire de l'Himalaya. Cette plante aux tiges très ramifiées porte des feuilles divisées en 5 parties munies de poils argentés. Les fleurs rouge sombre, portées par des tiges penchées, à demi érigées, s'épanouissent de juin à juillet. **S 4**

Cette espèce possède de nombreux cultivars. Parmi les plus courants, on retiendra : 'Gibson Scarlet', au feuillage vert et aux fleurs rouge vif ; 'Mr Rouillard' aux jolies fleurs doubles rouges, bordées d'un étroit liseré jaune ; 'William Rollisson' aux fleurs demi-doubles orange foncé à cœur jaune et 'Yellow Queen' aux fleurs demi-doubles jaune d'or.

P. megalantha est une jolie espèce duveteuse, de 20 cm de haut, native d'Asie et d'Alaska, qui forme de petits coussins très denses et étalés. Les grandes feuilles feutrées de gris sont munies de longs pétioles. Les fleurs, jaune d'or, larges de 3 cm, émergent au-dessus du feuillage en juin-juillet, portées par de longues tiges. **S 4**

P. recta, espèce haute de 40 cm, spontanée en Europe et en Sibérie, forme de jolies touffes vigoureuses d'un vert vif. Les feuilles basales sont divisées en 5 à 7 parties et les tiges, très ramifiées et poilues, portent de grandes fleurs jaune vif en ombelles paniculées qui s'ouvrent de juin à août. **S 6**

Culture

Les potentilles préfèrent, pour la plupart, un sol riche et bien drainé durant l'hiver, avec une exposition ensoleillée. *P. megalantha* supporte bien la mi-ombre. *P. alba* préfère les sols sableux et caillouteux. On plantera *P. argentea* en terre sableuse et *P. recta* en sol riche, mais sans calcaire pour ces deux dernières.

Pour obtenir des touffes denses, planter à l'automne ou, au printemps, dans les régions humides, à raison de 6 à 8 pieds au mètre carré.

Multiplication

La division des touffes de la plupart des espèces peut s'effectuer au printemps. On peut également les bouturer en juin mais elles se ressèment souvent spontanément dans le jardin.

Dans votre jardin. Les potentilles conservent un aspect léger dans les jardins naturels et illuminent les scènes ensoleillées en compagnie des achillées, *Kniphofia, Sedum* et graminées.

Potentilla atrosanguinea ***forme des touffes au large feuillage décoratif, rehaussé de superbes fleurs rouge écarlate.***

PRUNELLA

BRUNELLE – LAMIACÉES

S 1

Ce genre, autrefois appelé Brunella, viendrait de l'allemand* braün, *maladie de gorge, allusion aux propriétés cicatrisantes et antiseptiques des fleurs. Au XVIe siècle, les partisans de la doctrine dite des « signatures » associèrent la forme de ces fleurs à celle de la gorge. D'après cette théorie, on soignait un organe avec une plante qui lui ressemblait.

P. vulgaris *supporte fort bien la chaleur et la sécheresse.*

Ce genre compte une douzaine d'espèces vivaces, généralement rustiques, originaires d'Europe et d'Asie. Ces plantes basses, à souche rampante, sont robustes et fleurissent longtemps.

Espèces

P. grandiflora, de 20 cm de haut, a donné naissance à toute une lignée d'excellentes plantes de jardin. L'espèce, endémique des prairies d'Europe, forme rapidement des coussins épais d'où émergent des fleurs violet-pourpre de juin à septembre.

'Alba' est une forme à fleurs blanches et 'Rosea' possède des fleurs roses.

P. vulgaris (*P. incisa*), haute de 30 cm, originaire d'Europe et d'Asie, forme également des coussins recouvrant rapidement le sol. Les feuilles sont découpées et velues. Les capitules de fleurs violet-pourpre s'épanouissent de juin à septembre. La forme 'Alba', assez rare, possède des fleurs blanches, et 'Rubra', des fleurs rose carminé. *P. x webbiana* est une forme hybride semblable aux espèces précédentes mais ses fleurs violettes sont plus grosses. La forme 'Rosea' possède des fleurs roses.

Culture

Installer les brunelles au soleil ou à mi-ombre. Elles acceptent tous les sols, mais préfèrent un sol bien drainé et une exposition chaude. Planter 6 à 8 pieds au mètre carré pour couvrir le sol en 2 ou 3 ans.

Multiplication

Les rhizomes traçants courent à la surface du sol. Il est aisé de procéder à la division des touffes de septembre à novembre et de repiquer aussitôt les éclats. Parfois, ces plantes se ressèment abondamment, surtout dans un sol caillouteux. Déterrer les plantules au printemps et les installer à l'endroit qui leur est réservé. Toutefois, les plantes issues de semis ne seront pas fidèles au type si le jardin compte plusieurs brunelles car les espèces s'hybrident très bien entre elles.

Dans votre jardin. Les brunelles formeront de bons couvre-sols en massifs, bordures, dallages fleuris, en compagnie de bulbes ou de petits arbustes.

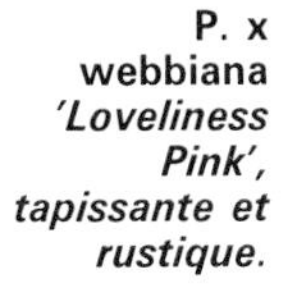

P. x webbiana *'Loveliness Pink', tapissante et rustique.*

ROMNEYA

ROMNEYA - PAPAVÉRACÉES

S 6

Le nom de ce genre donné par Harvey est dédié au Dr T. Romney Robinson, astronome.

Le genre comprend 1 ou 2 espèces originaires de Californie et du Mexique. Ces plantes majestueuses, herbacées ou semi-arbustives, possèdent un rhizome qui s'enfonce profondément et qui, parfois, drageonne fortement.

Espèce

R. coulteri, aux tiges vert grisâtre, peut atteindre 1,50 m de haut. Les feuilles vert bleuté, alternées, sont divisées ou découpées. Les fleurs superbes, très odorantes, larges de 10 à 15 cm, sont blanc argenté avec une grosse couronne d'étamines jaune orangé ressemblant à la fleur du pavot. Elles s'épanouissent d'avril à septembre.

Les romneyas craignent le froid et l'humidité pendant l'hiver.

R. coulteri, *précieuse mais fragile au nord de la Loire.*

R. coulteri *et* Lavatera olbia *forment un duo plein de charme.*

Culture

Planter dans un sol sec graveleux et profond. Le meilleur endroit, au nord de la Loire, est le pied d'un mur orienté au sud. Les romneyas ne craignent ni la sécheresse ni la chaleur. Cependant, ils ne doivent pas manquer d'eau en été. La transplantation est délicate. La meilleure période de plantation est mars-avril. Ces plantes mettent du temps à s'installer, mais au bout de quelques années, elles occuperont une place considérable du fait de leurs nombreux drageons. Il faut attendre 2 à 3 ans pour savoir si leur implantation a effectivement réussi.

Multiplication

La propagation par semis est très longue. Les graines seront semées aussitôt après la récolte et installées en caissette sous châssis froid. On peut également multiplier les romneyas en bouturant les racines prélevées en septembre et en les installant dans des pots à l'abri du gel jusqu'à la reprise de végétation.

RUDBECKIA

RUDBECKIA - ASTERACÉES

S 6, S 7 *(R. laciniata, R. nitida)*

Ce genre créé par Linné est dédié à Olaf Rudbeck, son compatriote, professeur de botanique à Uppsala en Suède.

Le genre comprend une trentaine d'espèces annuelles ou vivaces, généralement rustiques, originaires d'Amérique du Nord. Ces plantes possèdent des souches puissantes qui s'étalent lentement sans jamais devenir envahissantes. Leur rusticité n'a d'égale que leur longévité. Si les fleurs de toutes les espèces décrites sont jaunes, elles sont cependant toutes différentes.

R. fulgida *var.* deamii, *très florifère, supporte bien la sécheresse.*

Espèces

R. fulgida, native des États-Unis, mesure 60 cm à 1 m de haut. Les souches s'étalent lentement. Les feuilles légèrement poilues sont spatulées et engainent légèrement la tige. Les capitules de fleurs, à ligules longues de 2 à 3 cm, jaune orangé, au centre brunâtre, s'épanouissent de juillet à août.

Rudbeckias, Kniphofias, morines et hélénies: une superbe plate-bande estivale.

Les rudbéckias donnent d'excellentes fleurs à couper.

R. fulgida var. *deamii*, variété également native des États-Unis, mesure 80 cm à 1 m de haut. Les feuilles de la base sont longuement pétiolées, ovales et larges, pointues et recourbées, munies de poils courts, d'un vert légèrement grisâtre. Les tiges ramifiées portent des fleurs jaunes à cœur noir, d'août à septembre.
R. fulgida var. *speciosa,* originaire des États-Unis, mesure 60 à 90 cm de haut. La souche robuste s'étale assez rapidement. Les feuilles basales, lancéolées et dentées, forment des touffes denses. Les tiges serrées et ramifiées portent, de juillet à octobre, des fleurs jaune d'or à centre brun noirâtre. Cette forme donne des fleurs très belles en bouquet.
R. fulgida var. *sullivantii*, originaire des États-Unis, de 60 cm à 1 m de haut, forme de belles touffes de feuilles larges, vert foncé lustré, à grosses dents. Les tiges raides et ramifiées portent des fleurs à ligules plus longues que celle des autres espèces, d'un joli jaune d'or. La forme 'Goldsturm' forme des touffes de feuillage vert intense, sombre. Les hampes rigides et dressées portent des grandes fleurs jaune d'or à cœur brun, de juillet à septembre.
R. laciniata, espèce originaire des États-Unis et du Canada, peut mesurer, dans de bonnes conditions, plus de 2 m de haut. Dans les jardins, elle ne dépasse guère 1,50 à 1,70 m. Elle possède une souche robuste et vigoureuse. Les feuilles de la base sont divisées en 3 à 5 parties alors que celles des tiges sont lobées. Elles ont une couleur vert tendre et sont lisses. Les tiges ramifiées dans la partie supérieure portent, de juillet à septembre, des fleurs jaune clair aux ligules retombantes et au cœur jaune verdâtre.
Cette espèce, rare en culture, est souvent remplacée par ses formes horticoles, d'excellente valeur décorative. 'Golden Glow' est une forme à fleurs doubles; 'Goldquelle' a une végétation plus compacte et de grosses fleurs simples jaune d'or; 'Plena', aux hampes solides et ramifiées, porte des fleurs doubles, jaunes, en pompons.
R. nitida, d'origine nord-américaine et de 80 cm à 1 m de haut, ressemble fort à l'espèce précédente. Elle en diffère principalement par ses feuilles brillantes, qui sont dentées mais non découpées, et par ses grosses fleurs, aux ligules pendantes et jaune d'or, au centre conique verdâtre.
Cette espèce est également rare en culture et souvent remplacée par la robuste forme horticole 'Automn Glory', atteignant 1,50 m de haut. Ses hampes dressées portent un groupe de fleurs jaune verdâtre à cœur conique vert clair, très décoratives, qui s'épanouissent de juillet à septembre.
R. triloba, haute de 1 m à 1,30 m, originaire d'Amérique du Nord, montre un port buissonnant et touffu et porte des feuilles divisées en 3 lobes d'un joli vert sombre. Les fleurs en étoile jaune d'or à centre noir, sont très élégantes et s'épanouissent en août-septembre.

R. triloba se comporte parfois en bisannuelle.

Culture

Les rudbéckias sont peu exigeants quant à la qualité du sol. Ils aiment le soleil et fleurissent toujours avec beaucoup de générosité. Cependant, un sol frais pendant la période de végétation stimule la floraison. Planter 3 ou 4 pieds au mètre carré, d'octobre à mars, lorsque le temps le permet.

Multiplication

Il faut les rajeunir tous les 4 ou 5 ans car les souches se creusent souvent du centre. Déterrer les souches en automne ou au printemps. Prélever des éclats sains et robustes munis de 2 ou 3 yeux au moins, bien formés, sur la périphérie des touffes. Replanter aussitôt.

Dans votre jardin. Vous associerez les rudbéckias, très adaptés aux plates-bandes, aux *Aster amellus, Helenium, Ligularia* si le sol n'est pas trop sec, ou encore à leurs cousines à fleurs roses, les *Echinacea purpurea.*

R. fulgida *var.* deamii *très florifère.*

RUTA

RUE - RUTACÉES

S 6

Ce nom de genre créé par Linné vient de* rute*, son ancien nom grec, lui-même dérivé de* ruo*, sauver, qui se réfère aux propriétés médicinales de l'espèce commune.

Quelque 7 espèces seulement composent ce genre qui comprend des plantes vivaces ou semi-arbustives originaires d'Asie, du pourtour méditerranéen et des îles Canaries. Seule l'espèce décrite ci-dessous peut être considérée comme rustique dans toute la France. Elle est connue depuis fort longtemps comme plante médicinale.

Espèce

R. graveolens, de 30 à 50 cm de haut, est originaire des Balkans et d'Europe du Sud. Les tiges, ligneuses à la base, se comportent souvent comme des tiges arbustives. Les feuilles, pennées, finement découpées sont d'un joli vert plus ou moins bleuté. Les inflorescences en panicules peu ramifiés portent, de mai à juillet, des fleurs jaunes. La plante est toxique et dégage lorsque l'on froisse les feuilles une odeur désagréable.

La forme 'Variegata' possède des feuilles vert bleuté à leur apparition, devenant rapidement panachées de blanc crème. Les jeunes tiges de l'année sont également striées de lignes blanc crème. 'Jackman's Blue' est une forme au feuillage plus bleu que celui de l'espèce avec laquelle elle est bien souvent confondue.

R. graveolens ***montre de petites fleurs naïves d'un jaune verdâtre.***

Culture

Ces plantes aiment tous les sols très bien drainés, même caillouteux, mais supportent également des sols frais, en plein soleil. Au printemps, il faut rabattre la plante et la débarrasser de ses vieux bois. Dans les régions clémentes, le feuillage est pratiquement persistant.

Multiplication

Prélever des boutures en automne, en septembre ou octobre.

Dans votre jardin. Cette rue accompagnera des plantes comme la lavande, *Nepeta, Dictamnus albus, Alyssum argenteum* auprès desquelles son feuillage très décoratif prendra toute sa valeur ornementale.

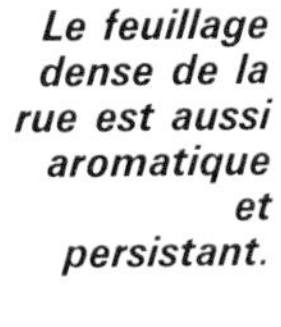

Le feuillage dense de la rue est aussi aromatique et persistant.

SALVIA

SAUGE – LAMIACÉES
S 5, S 6

Le nom de ce genre créé par Linné vient de son nom latin, donné par Pline, lui-même dérivé de* salvere, *sauver, parce que certaines espèces ont des propriétés médicinales.

Ce genre très important rassemble environ 800 espèces originaires principalement d'Europe, d'Amérique du Nord et d'Asie du Sud-Ouest. Ces plantes annuelles, bisannuelles, vivaces ou sous-arbustives possèdent de nombreuses espèces rustiques.

S. argentea *ne vit souvent que 2 ou 3 ans lorsque les inflorescences ne sont pas coupées suffisamment.*

Espèces

S. argentea, originaire d'Europe du Sud et d'Afrique du Nord, est surtout intéressante par son feuillage. Celui-ci varie du vert grisâtre en régions humides au blanc argenté en milieu très sec et en situation de plein soleil. Les feuilles arrondies, couvertes de poils soyeux très denses, plus ou moins blanchâtres, forment une rosette au ras du sol. Les inflorescences, de forme pyramidale, hautes de 50 à 80 cm, portent des fleurs blanches à lèvre jaune de juin à juillet. **S 3**

S. azurea est une très jolie espèce de 80 cm à 1 m de haut, native des États-Unis. Les tiges érigées, plus ou moins lâches, en touffes denses, portent des feuilles étroites et grisâtres. Les fleurs bleu clair, parfois blanches, en épis minces et denses, s'épanouissent de juillet à septembre.

La forme 'Grandiflora' possède des fleurs plus grandes, d'un très joli bleu vif. La forme 'Pitcheri', légèrement plus hâtive, donne des fleurs bleu clair.

S. coccinea, *peut former des haies basses éclatantes.*

On apprécie surtout* S. argentea *pour son feuillage décoratif gris argenté et laineux.

S. glutinosa, de 80 cm à 1,20 m de haut, est une espèce spontanée d'Europe et d'Asie. Les feuilles, en forme de cœur, dentées, sont vert mat. Les tiges carrées et puissantes portent des feuilles jusqu'aux inflorescences. Les fleurs, en épis ramifiés, montrent de juillet à septembre des couleurs jaune soufre, avec des raies brun rougeâtre.

S. grahamii, de 1 m de haut, est originaire du Mexique. Elle est souvent confondue avec *S. coccinea* à laquelle elle ressemble beaucoup. Elle forme un buisson ligneux couvert de petites feuilles arrondies d'un joli vert frais. Les nombreuses inflorescences portent des fleurs rouge vif, devenant pourpres, mais moins vives que celles de *S. coccinea,* rouge cramoisi. Cette espèce à floraison estivale de longue durée ne sera vraiment belle que dans les régions clémentes. Il en existe de très beaux spécimens en Bretagne, région où elle constitue des haies basses.

S. involucrata, haute de 1 m à 1,20 m, originaire du Mexique, forme un buisson aux feuilles tendres, larges et pointues, d'un joli vert vif. Les fleurs tubulaires, rose vif, s'épanouissent en août.

La forme horticole 'Bethellii' montre de magnifiques fleurs lorsqu'elles sont en bouton car elles sont entourées de bractées roses très délicates. Portées en longs épis de juillet à septembre, elles deviennent rouge cerise à maturité. Ces très belles plantes ne jouissent malheureusement pas d'une bonne rusticité.

S. nemorosa, de 50 à 80 cm de haut, est une plante originaire d'Europe et d'Asie. Les tiges érigées, souvent rouge violacé, ramifiées vers le haut, partent de la souche épaisse, sans feuilles en rosette. Les feuilles ovales et lancéolées, vert terne, sont ridées. Les épis de petites

S. nemorosa ***hybride 'Ostfriesland' forme un tapis violet très dense.***

S. pratensis, ***la sauge des prés, se plaît en sol très sec.***

Le rabattage des hampes défleuries de N. nemorosa *provoquera une nouvelle floraison en arrière-saison.*

fleurs violettes, très denses en début de végétation, deviennent lâches et s'épanouissent de juin à juillet. L'espèce, rare en culture, est souvent remplacée par des hybrides horticoles issus du croisement de *S. nemorosa* par *S. villicaulis* parfois appelés *S. x superba*.

Les formes les plus courantes sont 'Lubecca', à touffes buissonnantes et aux fleurs violettes s'épanouissant de mai à juillet ; 'Nuit de mai' ('Mainacht'), aux grandes fleurs bleu nuit, s'épanouissant de mai à août ; 'Ostfriesland', à touffes très denses, de 40 cm de haut, avec des épis dressés qui comptent une multitude de petites fleurs violet foncé à bractées brun rougeâtre ; 'Reine des bleues', également en touffes denses, d'où émergent des épis dressés de fleurs bleu violacé.

S. officinalis est la sauge officinale, connue depuis l'Antiquité. Native d'Europe du Sud, elle mesure entre 40 et 60 cm de haut et forme de belles touffes s'étalant sur le sol. Cette plante semi-arbustive dégage un parfum aromatique puissant. Les feuilles elliptiques, coriaces, de couleur vert grisâtre, sont persistantes en hiver. Les tiges dressées portent, de juin à août, des fleurs lilas en épis minces.

La forme 'Aurea' a un feuillage vert grisâtre panaché de jaune. 'Purpurascens' montre un feuillage pourpré sur lequel ressortent très bien les fleurs violet clair. 'Tricolor' est une forme intéressante par les panachures multicolores de son feuillage bigarré de vert, de jaune et de rose carné. Ces plantes d'une bonne rusticité dans un sol très bien drainé sont d'une grande valeur grâce à leur feuillage attractif et persistant.

S. patens, originaire du Mexique, haute de 70 cm, a une splendide floraison mais sa rusticité est médiocre. Les feuilles ovales rugueuses et fortement veinées sont d'un vert moyen. Les tiges dressées et poilues portent, en verticilles peu nombreux, des fleurs de 5 cm de long d'un bleu unique, en septembre ; celles-ci sont rarement blanches.

S. pratensis est la sauge des prés. Originaire d'Europe, elle atteint 60 à 90 cm de haut. De la souche ligneuse partent les feuilles basales ovales, ridées et vert foncé, formant des rosettes lâches. Les tiges qui émergent au printemps portent des épis ramifiés de fleurs bleu-violet de juin à août. Il existe aussi des variétés à fleurs blanches, roses ou rougeâtres. **S 7**

S. pratensis var. *haematodes,* variété de même origine que l'espèce précédente, en diffère principalement par son port plus buissonnant et ses fleurs bleu clair, abondantes, disposées en verticilles denses qui contrastent avec la couleur brun rougeâtre des hampes.

La forme 'Rosea' possède des fleurs roses.

S. sclarea, sauge « toute bonne » haute de 1 m, native d'Europe du Sud, est une bisannuelle. Elle se ressème très bien dans tous les sols secs et forme des colonies sans cesse renouvelées

Touffe buissonnante de **S. pratensis.**

S. patens, ***peu rustique au bord de la Loire.***

S. officinalis ***prospère dans les restanques du Midi.***

Les sauges dégagent toutes un parfum aromatique plus ou moins puissant.

mais toujours présentes dans le jardin. Cette plante montre la première année une rosette de grosses feuilles pétiolées et rondes, mates et rugueuses, d'où émergent la deuxième année des hampes vigoureuses portant en verticilles de très belles fleurs lilas clair entourées de bractées rose rougeâtre.

Culture

Presque toutes les sauges aiment les sols secs et caillouteux, même calcaires, exposés au plein soleil. Elles détestent les sols lourds et humides, dans lesquels elles ne vivent pas longtemps.

S. argentea se ressème abondamment dans un sol caillouteux.

S. azurea apprécie les sols argileux s'ils sont bien drainés, surtout durant l'hiver.

La montagnarde *S. glutinosa* s'adapte très bien en plaine dans un sol graveleux.

S. patens demande un sol très pauvre.

S. pratensis préfère les sols secs et très bien drainés.

S. involucrata et *S. patens* ne supporteront pas les fortes gelées. Il faut leur réserver un endroit protégé et chaud et il est prudent d'hiverner sous châssis quelques boutures. Planter à l'automne ou de préférence au printemps dans les sols frais. Le fait de rabattre les touffes défleuries provoque parfois une remontée de la floraison et aide les espèces semi-arbustives à conserver un port trapu.

Multiplication

Semer les espèces au printemps. La division est également possible au printemps pour presque toutes les sauges, ainsi que le bouturage, surtout pour les espèces semi-arbustives, dès septembre, sous châssis froid.

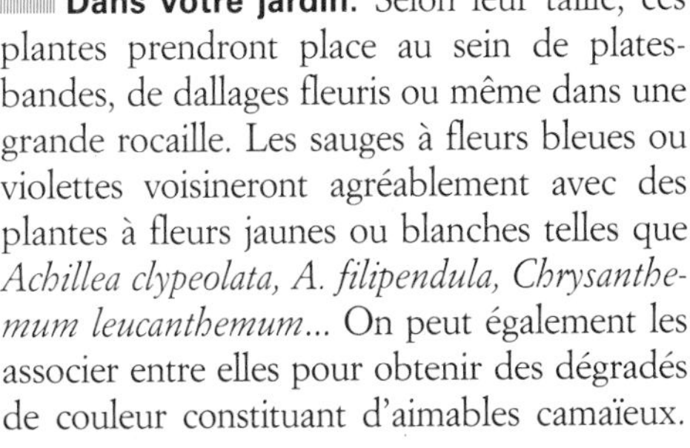

Dans votre jardin. Selon leur taille, ces plantes prendront place au sein de plates-bandes, de dallages fleuris ou même dans une grande rocaille. Les sauges à fleurs bleues ou violettes voisineront agréablement avec des plantes à fleurs jaunes ou blanches telles que *Achillea clypeolata, A. filipendula, Chrysanthemum leucanthemum*... On peut également les associer entre elles pour obtenir des dégradés de couleur constituant d'aimables camaïeux.

Une belle alliance de **S. sclarea, Nepeta, Ruta graveolens** ***et*** **Cornus.**

SANTOLINA

SANTOLINE - ASTERACÉES

S 6

Le nom de ce genre créé par Linné a plusieurs origines possibles. Il pourrait venir de* santonica*, nom donné à une absinthe que l'on trouvait chez les Santones, peuple d'Aquitaine et de Saintonge dont la capitale était Saintes. Les autres étymologies possibles sont l'italien* santo*, saint, en raison de ses vertus médicinales, ou le grec* xanthos*, jaune, pour la couleur de ses fleurs.

S. neapolitana ***apprécie les expositions chaudes.***

Les santolines craignent les hivers froids et humides.

Ce genre compte une dizaine d'espèces semi-arbustives, aromatiques, originaires des régions méditerranéennes.

Espèces

S. chamaecyparissus est une plante de 40 à 50 cm de haut, formant un buisson, spontanée des Pyrénées à l'Italie. Cette espèce au parfum aromatique très prononcé possède des tiges ligneuses très ramifiées. Les feuilles, finement pennées, couvertes d'un feutrage gris, sont persistantes. Les fleurs jaunes, en nombreux capitules solitaires, apparaissent de juillet à août.

S. rosmarinifolia (*S. viridis*), haute de 30 à 50 cm est spontanée d'Afrique du Nord au sud de la France. Ce petit buisson fortement aromatique, aux tiges d'abord couchées, puis érigées, porte des feuilles vert foncé et glabres, finement découpées. Les fleurs, jaunes, en capitules, apparaissent au sommet des tiges minces de juillet à août.

Culture

Ces sous-arbrisseaux seront installés en plein soleil dans un sol caillouteux, même calcaire, très bien drainé mais assez riche. Tailler sévèrement les santolines après chaque floraison pour qu'elles conservent une forme trapue. Dans les régions froides, il faut les planter en terrain très bien exposé au soleil.

Multiplication

Prélever des boutures en septembre ou octobre sur les pousses latérales, au moment de la taille, et les installer sous châssis froid.

Dans votre jardin. Vous associerez les santolines aux lavandes, *Nepeta*, armoises et sauges en bordure de plates-bandes ou sur une terrasse, en dallages fleuris, jardins de graviers.

Tapis de santoline, lavande, buis et romarin.

SAPONARIA

SAPONAIRE - CARYOPHYLLACÉES

S 4

Le nom de ce genre donné par Linné vient de sapo, savon. Les feuilles de l'espèce décrite forment, lorsqu'on les frotte dans l'eau, une mousse identique à celle du vrai savon, qui enlève les taches de graisse et les autres salissures. Le rhizome servait dans l'Antiquité à désuinter les laines.

S. officinalis *'Plena' accepte bien les sols ordinaires.*

Les espèces basses forment de beaux coussins pour les rocailles.

Le genre compte une trentaine d'espèces vivaces, rarement annuelles, originaires des régions méditerranéennes.

Espèces

S. officinalis, haute de 60 à 80 cm, est une espèce spontanée répandue de l'Europe jusqu'en Sibérie. Ses rhizomes drageonnants tracent parfois très loin. Les tiges érigées ou flexibles portent des feuilles elliptiques. Les fleurs rose pâle ou parfois blanches, en petits bouquets, apparaissent à l'aisselle des feuilles supérieures de juin à septembre.

La forme 'Plena' possède des fleurs identiques mais doubles et semble être un peu moins traçante que le type. Ces plantes donnent d'excellentes fleurs à couper.

Culture

Planter dans tout sol argileux, calcaire ou sableux, à condition qu'il soit bien drainé l'hiver et exposé en plein soleil.

Multiplication

Il est facile de diviser les rhizomes à l'automne ou au printemps.

Dans votre jardin. Vous pourrez planter *S. officinalis* en bordure de plates-bandes, dallages fleuris ou jardins de graviers, en association avec les *Nepeta* et *Campanula alliarifolia.*

SCABIOSA

SCABIEUSE - DIPSACACÉES

S 4, S 6

Le nom de genre créé par Linné vient de scabies, gale, parce que ces plantes guériraient les maladies de la peau.

S. caucasica *et ses cultivars donnent de très bonnes fleurs à couper.*

Ce genre comprend environ 60 espèces d'herbacées, annuelles, bisannuelles ou vivaces, originaires principalement des régions méditerranéennes. Les espèces décrites ci-dessous sont vivaces et d'une bonne rusticité en sol très bien drainé.

Espèces

S. caucasica, de 60 à 80 cm de haut, est originaire du Caucase. Les feuilles basales sont entières et lancéolées, celles des tiges sont spatulées et plus ou moins lobées. Les tiges simples, peu ramifiées, portent, de juin à septembre, à leur extrémité, des capitules plats à bords très larges de fleurs bleu lilas.

Parmi tous les cultivars qui existent, on peut remarquer 'Alba' pour ses fleurs blanches, 'Clive Greaves' pour ses grosses fleurs bleu clair, 'Fama' pour ses grandes fleurs bleues.

S. graminifolia, haute de 30 à 40 cm, est originaire des Pyrénées et des Alpes du Sud. Cette espèce mi-arbustive forme de très jolis coussins hémisphériques. Les feuilles minces, pareilles à celles de graminées, sont couvertes de poils soyeux et argentés. Les fleurs lilas clair, en forme de petits pompons, apparaissent de juin à novembre.

La floraison des scabieuses, ici* S. caucasica, *ne s'interrompt qu'à l'hiver.

Culture

Les scabieuses apprécient les sols secs, même calcaires, pourvu qu'ils soient bien drainés et exposés en plein soleil.

Multiplication

Pour les espèces, opérer par semis, division ou bouturage en début d'automne.

Dans votre jardin. Vous planterez les scabieuses en plates-bandes, bordures herbacées et dallages avec les achillées, *Inula* et parmi des graminées.

SEDUM

ORPIN - CRASSULACÉES

S 6

Le nom de ce genre créé par Linné vient de* sedere*, s'asseoir, allusion à la façon dont se fixent les espèces tapissantes sur les roches.

L'orpin montre des feuilles crassulentes.

Ce vaste genre comprend plus de 500 espèces de vivaces annuelles, herbacées ou semi-arbustives, largement réparties dans le monde, principalement dans l'hémisphère Nord. Ces plantes succulentes comptent de nombreuses autres espèces intéressantes pour les jardins de rocaille, les auges ou les jardinières, qui ne sont pas décrites ici en raison de leur petite taille.

Les fleurs séchées sur pied de S. telephium *restent décoratives durant tout l'hiver.*

Espèces

S. cauticolum, haute de 15 cm, est originaire du Japon. Les tiges rampantes portent des feuilles alternées, rondes ou spatulées, dentées et charnues, de couleur gris bleuté à bords pourpres. Les fleurs en cymes denses, d'abord rose-pourpre, virent au rouge carmin et s'épanouissent d'août à septembre.

La forme 'Ruby Glow', un peu plus grande que le type, a des fleurs rouge rubis et 'Vera Jameson' des fleurs rose vif. L'une et l'autre possèdent un feuillage pourpré.

S. spectabile, haute de 30 à 50 cm, est originaire de Corée et de Mandchourie. Les tiges glabres, vert grisâtre, portent des feuilles alternées, larges et ovales, dentées et charnues. Les fleurs rose clair apparaissent en cymes aplaties en août et septembre. La forme 'Brilliant' a des fleurs rose carminé. 'Septemberglut' donne des fleurs rouge sombre.

S. telephium, de 40 à 60 cm de haut, est une espèce spontanée répandue de l'Europe à la Sibérie, mais qui se rencontre rarement en culture. Sa forme 'Automn Joy', un hybride de *S. telephium* et de *S. spectabile*, est plus répandue. Les tiges érigées, raides, portent des feuilles ovales, aux dents irrégulières gris bleuté. Les fleurs, en grandes cymes aplaties, varient du rouge brique au rouge lie de vin et s'épanouissent de septembre à octobre.

Culture

Les orpins s'accommodent de toute terre bien drainée pendant l'hiver. Les espèces décrites ci-dessus demandent un sol plutôt riche pour bien fleurir, ainsi qu'une bonne exposition au soleil.

Multiplication

Les touffes seront de préférence divisées au printemps. Il est également possible de bouturer les tiges et les feuilles. Toutefois, il faudra, après arrachage, faire sécher ces dernières, quelques jours à l'ombre avant de les installer en caissette pour que se forme un cal sur la cicatrice ce qui évitera le flétrissement de la feuille.

Dans votre jardin. Les orpins trouveront place en plates-bandes sèches, en dallages fleuris, dans les jardins de graviers. Leur aspect graphique pourra jouer un rôle important dans les plantations de bordures. En compagnie d'*Aster* ou de *Schizostyllis coccinea*, la floraison d'arrière-saison de *S. spectabile* et *S. telephium* sera du plus bel effet.

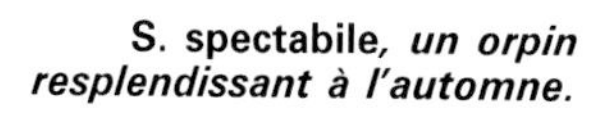

S. spectabile*, un orpin resplendissant à l'automne.*

SIDALCEA

SIDALCÉE - MALVACÉES S 7

***Donné par Gray, le nom de ce genre est la réunion de ceux de deux autres genres :* Sida *et* Alcea.**

Le genre compte une vingtaine d'espèces de plantes vivaces, originaires d'Amérique du Nord. Ces plantes, proches parentes des mauves, en ont la floribundité mais leur port est généralement plus compact et érigé.

Espèces

S. Hybride, aux touffes dressées de 80 cm à 1 m, s'épanouit de juin à septembre. Parmi les cultivars les plus courants, on retiendra 'Brillant', aux fleurs rouge carminé, 'Elsie Heugh', aux fleurs rose clair, 'Interlaken', aux fleurs rouge carminé, et 'Rosy Gem', plus petit, aux fleurs rose lilas.

S. malviflora, de 80 cm à 1 m de haut, est originaire de Californie. Les tiges légèrement poilues sont érigées, les feuilles, découpées et recourbées. Les grosses fleurs de 5 cm de large, rose-pourpre, s'épanouissent de juin à septembre. Cette espèce assez rare en culture est remplacée par des formes hybrides.

Couper les hampes défleuries des sidalcées pour favoriser l'émission de nouveaux bourgeons vigoureux.

S. hybride *'Elsi Heugh'.*

Culture

Ces sidalcées demandent un sol très bien drainé, argilo-humifère, non calcaire et une bonne exposition au soleil.

Multiplication

Rajeunir par division au printemps et replanter les éclats les plus vigoureux.

Dans votre jardin. Vous planterez les sidalcées avec les sauges, *Solidago, Phlox* ou, dans des contrastes moins violents, avec *Scabiosa caucasica, Gaura* et les grandes véroniques. Elles seront installées en plates-bandes ensoleillées, en bordures herbacées ou dans un jardin sauvage.

SILENE

SILÈNE - CARYOPHYLLACÉES S 4

Le nom de ce genre donné par Linné viendrait de* Silenus*, dieu mythologique, ce qui est une allusion aux calices des silènes ventrus comme l'était Silène.

Ce genre très important comprend plus de 400 espèces annuelles, vivaces, rarement sous-arbustives.

Espèces

S. maritima, haute de 40 à 60 cm, originaire d'Europe et d'Afrique du Nord, forme de jolis coussins lâches. De la souche ligneuse sortent de nombreuses tiges, d'abord prostrées puis érigées, couvertes de feuilles lancéolées vert argenté. Les fleurs blanches, nombreuses, s'ouvrent de juillet à septembre.

La forme 'Plena' possède des fleurs doubles, également de couleur blanche.

S. schafta, plante basse de 15 à 20 cm de haut, est originaire du Caucase. Elle produit des touffes étalées au feuillage vert vif. Les nombreuses fleurs rose magenta s'épanouissent sans discontinuer de juillet à octobre.

Culture

Les silènes acceptent tous les sols ordinaires, bien drainés, situés au soleil ou à mi-ombre. Lorsque le temps le permet, planter 6 pieds au mètre carré d'octobre à mars.

Multiplication

Ces plantes se ressèment souvent. Toutefois, la division des touffes, possible pour les espèces au printemps, est impérative pour *S. m.* 'Plena'.

Dans votre jardin. Les silènes décrites ci-dessus, dont la floraison est de longue durée. sont des plantes adaptées aux bordures, dallages fleuris et murs. Vous les associerez à des plantes basses ou à des graminées avec lesquelles elles contrasteront agréablement.

S. maritima *forme des touffes tapissantes.*

STACHYS

ÉPIAIRE - LAMIACÉES

S 4

***Le nom de ce genre donné par Linné vient de l'ancien nom grec attribué par Dioscoride à d'autres plantes en épis,* stachys, *en raison de la forme des inflorescences. Ce genre était autrefois rattaché au genre* Betonica.**

Environ 200 espèces herbacées ou sous-arbustives composent ce genre largement réparti dans les régions tempérées. Parmi elles, seules quelques-unes ont une valeur ornementale. Les espèces décrites ci-dessous vivent longtemps et sont d'une bonne rusticité.

Espèces

S. grandiflora (*S. macrantha*), de 40 à 50 cm de haut, est originaire du Caucase et d'Iran. Elle forme des touffes denses, aux feuilles longuement pétiolées, allongées, en forme de cœur et ridées. Les jolies fleurs disposées en verticilles, rose purpurescent, s'épanouissent de juillet à août. La forme 'Superba' possède des fleurs plus grandes que le type. **S 6**

S. nivea, haute de 20 à 30 cm, est originaire du Caucase. Cette petite plante forme des touffes de feuilles larges et lancéolées, recourbées et ridées. Les fleurs blanches disposées en verticilles lâches s'épanouissent de juin à juillet.

S. olympica (*S. lanata*) est une jolie plante de 30 cm de haut, spontanée du Caucase à l'Iran. Cette espèce forme de jolies touffes étalées, rhizomateuses. Les feuilles pétiolées, larges et ovales sont couvertes d'un feutrage gris argenté qui prendra toute sa valeur dans un sol sec.

S. olympica *formera rapidement un joli couvre-sol très efficace.*

S. grandiflora, ***ne demande qu'un sol ordinaire.***

Les petites fleurs rosées sont de peu d'importance. La forme 'Silver Carpet', identique au type, ne fleurit pas. Ainsi, son feuillage reste toujours décoratif.

Culture

S. olympica aime les sols secs et très bien drainés, bien exposés au soleil. Les autres espèces préfèrent un sol frais, voire humide, et acceptent une ombre légère.

Les épiaires sont des plantes résistantes qui seront mises en place d'octobre à mars à raison de 6 pieds au mètre carré.

Multiplication

La division des touffes s'effectue facilement au printemps.

Dans votre jardin. Les épiaires accompagneront en bordures mixtes, dallages fleuris ou dans une grande rocaille, *Teucrium,* des œillets, *Ceratostigma* mais aussi *Alchemilla mollis, Polemonium...*

S. lanata, ***associé au cardon, pour un décor original de plante grises.***

TEUCRIUM

GERMANDRÉE - LAMIACÉES

S 4, S 5

Ce nom de genre donné par Linné est dédié à Teucer, roi de Troie qui, le premier, aurait employé ces plantes en médecine. Elles sont toujours utilisées de nos jours dans les compositions de liqueurs et de vins toniques.

Ce genre compte plus d'une centaine d'espèces vivaces ou arbustives, originaires des zones tempérées et chaudes du monde entier.

Espèces

T. chamaedrys, communément appelée germandrée « faux chêne », est spontanée d'Europe en Syrie. Semi-arbustive, elle ne dépasse guère 25 à 30 cm de haut. Ses racines drageonnantes lui permettent de s'étaler rapidement. Les feuilles vert foncé sont alternes, ovales et poilues. Les fleurs pourpres, rarement blanches, forment des grappes unilatérales sur les hampes de juillet à août. Les plantes que l'on trouve sous ce nom dans le commerce sont le plus souvent l'espèce *T. massiliense* qui elle-même serait un bâtard de *T. lucidum*, encore appelé parfois *T. x lucidrys*. Ce dernier, persistant l'hiver, n'est pas drageonnant alors que *T. chamaedrys* porte des feuilles caduques et drageonne.

T. chamaedrys ***type, une plante rare dans la nature, a donné des hybrides horticoles qui supportent bien les sols maigres.***

T. scorodonia *est dangereusement envahissante, aussi cette espèce n'est-elle pas adaptée aux petits jardins.*

T. massiliense (*T. chamaedrys hort.* ou *T. x lucidrys*), germandrée de Marseille, native des régions méditerranéennes, mesure de 30 à 40 cm de haut. Son feuillage persistant ainsi que ses fleurs sont semblables à ceux de *T. chamaedrys*, mais la floraison dure plus longtemps, de mai à octobre, et la plante ne drageonne pas.

T. scorodonia, la « sauge des bois », haute de 40 à 60 cm, est une espèce spontanée qui se rencontre de l'Europe jusqu'aux Balkans. Les tiges érigées se ramifient vers le haut. Les feuilles en forme de cœur sont dentées et recourbées, ridées et mates. Les fleurs, sans grand intérêt, de couleur jaune verdâtre, rougeâtres à la base, forment des épis lâches de juillet à septembre.

La plante émet des rhizomes et se ressème assez facilement.

La forme 'Crispus', plus intéressante, présente des touffes buissonnantes et son feuillage vert sombre ondulé, à bords crispés et persistant est très élégant. Cette forme est aussi beaucoup moins drageonnante que le type.

Culture

Les germandrées aiment le soleil et les sols secs, ou du moins très bien drainés, surtout durant l'hiver.

T. scorodonia accepte des sols beaucoup plus frais que les autres germandrées décrites ici. Cette espèce apprécie le soleil mais supporte très bien la mi-ombre.

Installer les germandrées, de préférence au printemps, dans les régions humides, à raison de 5 à 6 pieds au mètre carré.

Il faut rabattre les hampes défleuries surtout chez *T. scorodonia*, qui se ressème abondamment.

Multiplication

Diviser les touffes au printemps.

On peut également bouturer *T. massiliense* et *T. chamaedrys* au mois de septembre ou octobre.

Dans votre jardin. Les germandrées seront très décoratives en bordure sèche parmi des *Helianthemum, Nepeta,* lavandes, *Sedum telephium...* Vous planterez *M. massiliense* entre de petits arbrisseaux ou vous en ferez de petites haies car cette espèce supporte très bien la taille. *T. scorodonia* prendra toute sa valeur dans les jardins sauvages.

VERBASCUM

MOLÈNE - SCROPHULARIACÉES

S 7

Ce nom donné par Tournefort est l'ancien nom utilisé par Pline.

Le genre comprend plus de 250 espèces herbacées, bisannuelles ou vivaces, originaires d'Europe, d'Afrique du Nord et d'Asie centrale. Ces plantes, souvent grandes de taille, ont une végétation rapide et robuste, mais une durée de vie brève. Toutefois, ces plantes spectaculaires se ressèment souvent et leurs hampes majestueuses fleurissent longtemps.

Espèces

V. bombyciferum, souvent bisannuelle, haute de 1,50 m à 1,80 m, est originaire d'Asie Mineure. Toute la plante est couverte d'un feutrage blanc et les feuilles basales forment une rosette importante d'où émergent des hampes peu ramifiées. De nombreuses fleurs jaune soufre disposées en épis s'épanouissent de juin à août.

V. bombyciferum *craint l'humidité.*

V. Hybride regroupe des plantes issues du croisement entre différentes espèces. 'Laetitia', haut de 30 cm, a un port semi-arbustif et ses hampes très ramifiées portent des fleurs jaune d'or qui s'épanouissent sans discontinuer de mai à juillet. 'Pink Domino', de 1 m de haut, montre des fleurs roses qui s'épanouissent de juin à août. Ces plantes sont dotées d'une bonne longévité.

V. nigrum, haute de 70 cm à 1 m, est une espèce spontanée qui se rencontre d'Europe en Sibérie. Les feuilles basales en forme de cœur, vert foncé, sont couvertes d'un feutrage gris au revers et glabres sur le dessus. Les tiges anguleuses portent des fleurs jaune foncé à jaune pâle, tachetées de pourpre à la base, aux étamines violettes recouvertes de poils fins.

V. olympicum *disparaît après la floraison.*

V. olympicum, ***une plante spectaculaire pour le fond des plates bandes.***

V. nigrum ***var.*** **Album** ***se cultive bien en sol ordinaire.***

Les fleurs sont regroupées en épis denses et érigés de mai à juillet avec, souvent, une remontée en octobre.

La forme 'Album' a des fleurs blanc pur, au centre violet, qui ressortent très bien sur son feuillage sombre. Ces plantes vivent longtemps.

V. olympicum, de 1,50 à 2 m de haut, est originaire de Grèce. Cette très belle plante, entièrement couverte de poils grisâtres, forme de grandes rosettes de feuilles basales longues et ovales, d'où émergent des hampes fortes, ramifiées, en forme de candélabre. Celles-ci portent, de juin à août, des fleurs jaunes en épis.

Culture

La plupart de ces molènes demandent, pour bien prospérer, un sol ordinaire sec, très bien drainé et ensoleillé. *V. nigrum* supporte les sols frais. Le rabattage des hampes défleuries assure souvent le sauvetage de la souche. Installer de préférence les molènes au printemps dans les régions fraîches, solitaires ou par touffes de 3 ou 5 pieds, ainsi leur aspect particulier prendra toute sa valeur.

Multiplication

Ces plantes se ressèment souvent spontanément dans les jardins secs. On peut toutefois prélever des petites rosettes de la base pour les espèces vraiment vivaces, tels les hybrides ou *V. nigrum.*

Dans votre jardin. Les molènes formeront l'arrière-plan de vos plate-bandes herbacées, plantées parmi des *Thalictrum, Aster* ou *Lavatera obbia* ou encore parmi des plantes plus basses comme les lavandes, *Nepeta, Salvia argentea,* ou armoises. Leurs grandes hampes émergeront et briseront la monotonie d'un massif un peu trop plat.

VERONICA

VÉRONIQUE - SCROPHULARIACÉES

Le nom de ce genre donné par Linné nous vient du Moyen Âge. Son origine est obscure. L'image sacrée qui resta imprimée sur le mouchoir avec lequel sainte Véronique essuya le visage du Christ se retrouverait avec un peu d'imagination sur les corolles bien ouvertes de certaines véroniques.

V. fruticans, ***une petite véronique de culture aisée.***

V. teucrium *s'intègre bien en plates-bandes herbacées ou en bordures.*

Le genre compte environ 300 espèces de plantes herbacées, annuelles ou vivaces dont la plupart sont originaires des zones tempérées de l'hémisphère Nord.
Les espèces arbustives qui autrefois faisaient partie de ce genre sont maintenant classées dans le genre *Hebe*.

Espèces

V. fruticans, originaire d'Europe, est une plante basse de 10 à 15 cm de haut qui forme de jolis tapis. Les tiges simples, faiblement ligneuses à la base, forment des coussins lâches aux petites feuilles ovales, vert foncé. Les fleurs, en grappes terminales lâches bleu foncé, ont une gorge entourée d'un cercle purpurescent plus ou moins marqué et s'épanouissent en mai et juin. **S 1**

V. gentianoides est une belle espèce de 40 à 60 cm de haut, spontanée du Caucase en Asie. Les tiges érigées portent des feuilles très variables, souvent glabres à bords recourbés. Les feuilles basales, linéaires à ovales, forment une rosette vert brillant. Les fleurs, en grappes le long des tiges, sont d'un joli bleu clair veiné de bleu foncé et s'épanouissent de mai à juin.
La forme 'Variegata' a des feuilles panachées de blanc. **S 3**

V. incana (*V. spicata* ssp. *incana*), originaire d'Europe centrale, atteint 15 à 25 cm de haut. Cette plante au feuillage tapissant est semblable à *V. spicata*, mais couverte de poils denses, blancs ou grisâtres. Les fleurs bleu-violet, portées en épis denses, s'épanouissent de juin à août. **S 1**
'Candidissima', assez rare en culture, a des poils argentés brillants.

V. longifolia est une plante de 60 cm à 1 m de haut, originaire d'Europe. Les tiges souvent simples sont puissantes et érigées. Les longues feuilles étroites et linéaires, pointues et dentées ressemblent à celles du saule. Les inflorescences denses et peu ramifiées sont composées de fleurs bleues de juin à août. **S 7**
La forme 'Blauriesin', haute de 80 cm a des fleurs bleu brillant portées en épis élancés.

V. l. ssp. *subsessilis* (*V. x hendersonii*) est une espèce très proche de la précédente. Toutefois, les touffes dressées et vigoureuses ont un feuillage beaucoup plus large que le type. Les gros épis de fleurs bleu foncé s'épanouissent de juillet à septembre.

V. petraea, plante basse de 10 cm de haut, est originaire du Caucase et forme de jolis tapis. Les tiges rouge brunâtre, d'abord couchées, puis érigées, portent des feuilles elliptiques de 2 cm de long. Les fleurs disposées en grappes à l'aisselle des feuilles sont de couleur bleu lilas et s'épanouissent de mai à juin. **S 1**
'Mme Mercier' forme un tapis très dense au feuillage vert foncé pourpré. Les fleurs sont semblables au type.

V. spicata, haute de 40 à 50 cm, est originaire d'Europe et d'Asie Mineure. Les tiges érigées portent de longues feuilles ovales, recourbées et dentées. Les fleurs bleues, en épis denses, longs de 30 cm, s'épanouissent de juillet à août. **S 7**
La forme 'Alba' possède des fleurs blanches ; 'Erika' a un feuillage grisâtre et des fleurs rose foncé, et 'Exaltata' forme des touffes élancées d'où émergent des épis longs et fins de petites fleurs bleu ciel.

V. teucrium (*V. austriaca* ssp. *teucrium*), haute

V. petraea, ***dense et tapissante, à réserver aux bordures, murets, rocailles.***

V. gentianoides, ***dont les hampes dressées habilleront à ravir les bordures.***

V. spicata ***'Exaltata', au port dressé, structure avec éclat les plates-bandes herbacées.***

de 30 à 50 cm, est originaire d'Europe et d'Asie Mineure. Les tiges, tout d'abord couchées, se redressent pour former de belles touffes denses. Les feuilles, d'aspect assez variable, sont acaules et allongées. Les fleurs apparaissent en longs épis bleu ciel de mai à juillet. **S 1**

La forme 'Crater Lake Blue', de 30 cm de haut, a des épis courts, d'un joli bleu lumineux. 'Royal Blue', de 40 cm de haut, forme de belles touffes tapissantes et étalées d'où émergent des épis de fleurs bleu roi. 'True Blue' a un port également tapissant et ses fleurs sont d'un beau bleu vif.

V. virginica est une espèce érigée de 80 cm à 1,70 m de haut, originaire des États-Unis. Les tiges dressées, glabres, portent des feuilles lancéolées et dentées disposées en verticilles. Les nombreuses fleurs blanches, aux reflets bleuâtres, apparaissent en grappes terminales à l'aisselle des feuilles supérieures. Elles s'épanouissent de juin à septembre. **S 7**

V. s. *'Nana', forme naine aux fleurs bleu foncé, doit être réservée aux bordures et aux dallages.*

V. longifolia ***'Blauriesin', aux fleurs d'un bleu brillant.***

La forme 'Alba' a des fleurs blanches et la forme 'Rosea', un peu plus petite, des fleurs roses.

Culture

Les véroniques, qui toutes se ressemblent, n'ont pourtant pas les mêmes exigences. Il faudra donner à chaque espèce les conditions de culture qui lui conviennent. Elles sont peu sensibles aux diverses compositions chimiques du sol mais demandent pour bien prospérer plus ou moins de fraîcheur. On les plantera dans le jardin d'octobre à mars quand les conditions atmosphériques le permettent. Rabattre les inflorescences fanées pour conserver aux plantes leur port trapu.

Multiplication

De nombreuses espèces se sèment, mais il est préférable de procéder à la division des touffes lorsque celles-ci deviennent moins florifères. Diviser au printemps et repiquer aussitôt les éclats.

On peut également procéder au bouturage de nombreuses espèces, en prélevant des boutures immédiatement après la floraison.

Les véroniques vivent longtemps si les conditions leur conviennent et ne présentent pas d'exigences particulières.

Dans votre jardin. Suivant leur taille, vous planterez les véroniques en dallages fleuris, bordures, murets, jardinières, rocailles et pour les plus grandes, en plate-bandes avec des *Phlox, Solidago, Cimicifuga* et monardes. Vous installerez *V. incana* en compagnie de *Catananche, Linum* et Limonium, *V. longifolia* avec *Lythrum salicaria, Polygonum, Chelone...*, et *V. virginica* auprès de monardes et de *Cimicifuga*.

LES EXIGENCES CULTURALES DES VÉRONIQUES										
Espèces	Exposition		Sols							
	Soleil	Mi-ombre	Frais	Sec	Humide	Argileux	Riche	Pierreux	Lourd et aéré	Bien drainé
V. fruticans	●	●				●	●	●		●
V. gentianoides	●	●	●						●	
V. incana	●			●						●
V. longifolia	●		●		●					
V. petraca	●							●		●
V. spicata	●									●
V. teucrium	●		●							●
V. virginica	●	●	●			●	●			

ZAUSCHNERIA

ZAUSCHNÉRIA – ŒNOTHÉRACÉES

S 4

Ce nom de genre donné par Presle est dédié à Zauschner, botaniste allemand.

Le genre compte seulement 4 espèces de vivaces à base ligneuse, originaires des États-Unis et du Mexique. L'espèce décrite ci-dessous est la plus rustique d'entre elles.

Espèce

Z. californica, le fuchsia de Californie, est une plante de 40 à 50 cm de haut dont les tiges, d'abord ramifiées, couchées, se redressent aux extrémités, formant un joli buisson dense. Les feuilles ovales, souvent glanduleuses, sont vert grisâtre. Les fleurs, rouge écarlate, de 2 à 3 cm de long, s'épanouissent sans discontinuer de juillet à octobre.

Culture

Planter dans un sol sableux, humifère, avec un excellent drainage sous la souche, en plein soleil. Protéger la souche d'un matelas de feuilles mortes et sèches lors d'hivers rigoureux. Rabattre sévèrement les touffes en automne pour leur conserver leur port buissonnant et obliger les souches âgées à produire de nouveaux bourgeons.

Multiplication

Dans les régions froides, il est prudent de prélever des boutures en fin d'été, de les installer sous châssis froid et de les maintenir hors gel durant tout l'hiver.

Dans votre jardin. Vous associerez les zauschnérias à *Asphodelus* et *Ceratostigma plumbaginoides,* en bordures sèches, sur un muret fleuri ou dans une grande rocaille.

Le fuchsia de Californie supporte mal les hivers rigoureux.

Z. californica, ***une plante proche du fuchsia.***

Les zauschnérias se contentent de sols maigres et sableux.

GLOSSAIRE

A-B

Acide. Un sol est dit acide si son pH est inférieur à 7. Un tel sol est considéré comme pauvre.
Adventice. Une plante est dite adventice lorsqu'elle apparaît massivement parmi la flore cultivée, alors qu'elle n'y figurait pas auparavant.
Aisselle. Angle interne formé par la réunion d'une feuille à un rameau, d'un rameau à une branche ou d'une branche à une tige.
Alterne. Désigne la disposition d'organes insérés isolément, d'un point à un point supérieur, sur un axe. C'est le contraire de la disposition opposée, où les organes sont placés deux par deux, face à face.
Amendement. Action d'amender ; substance incorporée au sol que l'on travaille afin d'en modifier les propriétés physiques.
Ameublir. Rendre le sol aéré et perméable par un travail mécanique : labour, hersage.
Argile. Nom scientifique de la glaise, formée de minéraux et de sable sous forme de particules très fines.
Arrosage. Aspersion des plantes sous forme fine en général, mais suffisamment pour que le sol soit détrempé.
Assainissement. Travail — drainage par exemple — effectué sur un sol ou un terrain pour en éliminer l'excès d'eau.
Association végétale. Groupement de plantes dont la composition floristique est constante et caractéristique.
Axillaire. Inséré au niveau de l'aisselle.

Barbe. Désigne l'ensemble des poils poussant à la face supérieure de certains iris et sur les arêtes des Graminées.
Bifurqué. Désigne tout organe — tige, branche, rameau... — se divisant en deux.
Bilabié. Qui a deux lèvres. S'applique à une corolle ou à un calice dont la partie libre présente deux divisions principales (« lèvres ») placées l'une au-dessus de l'autre.
Bilobé. Partagé en deux lobes jusqu'au milieu.
Bipenné. Deux fois pennée (feuille) : l'ensemble des folioles, disposés de chaque côté de l'axe, rappelle les barbes d'une plume, et chaque foliole présente lui-même cet aspect de plume.
Bourgeon. Organe végétal entouré le plus souvent d'écailles protectrices, contenant les ébauches des futures tiges, feuilles et parfois fleurs. Si un bourgeon est situé au bout d'une pousse, il est dit terminal ; s'il est localisé à l'aisselle d'une feuille, il est dit axillaire.
Bouture. Fragment d'une plante — racine, feuille, tige — que l'on détache pour la laisser s'enraciner d'elle-même et donner ainsi une nouvelle plante ; on a ici une méthode de multiplication asexuée, le bouturage de tige. On distingue les boutures aoûtées (lorsque le fragment de tige est lignifié) ; semi-aoûtées (lorsque le fragment est partiellement lignifié) ; herbacées (lorsque le fragment n'est pas du tout lignifié).
Bractée. Feuille modifiée, proche de la fleur ou d'un groupe de fleurs, parfois colorée comme un pétale.

C

Caduc. Se dit des organes d'un végétal qui se détachent rapidement après avoir joué leur rôle.
Calcaire. L'un des éléments les plus communs du sol. Il donne à celui-ci une réaction basique.
Calice. Ensemble des sépales formant l'enveloppe externe d'une fleur, le plus souvent de couleur verte.
Campanulé. En forme de cloche.
Capitule. Groupe de fleurs, la plupart du temps sessiles, insérées sur un support commun.
Châssis. Couvercle vitré articulé à un coffre dans le but de protéger et couvrir de jeunes plantes.
Chenilles. Nom générique de toutes les larves de papillon. Chaque chenille se nourrit des feuilles d'une plante qui est spécifique au papillon.
Collet. Zone intermédiaire entre la tige et la racine.
Composées. Relatif aux feuilles dont le pétiole simple ou divisé porte plusieurs folioles sessiles ou pétiolulées.
Compost. Mélange de terre, de sable, de tourbe, de terreau de feuilles ou de tout autre engrais approprié à une culture spécialisée. Ce terme désigne également le terreau produit par la fermentation et l'humidification des détritus divers déposés au pourrissoir.
Cordiforme. En forme de cœur. On dit aussi « cordé ».
Corolle. Ensemble des pétales d'une fleur formant le second de ses organes si elle est complète. La corolle est dite monopétale, si elle est d'une seule pièce ; polypétale, si elle en comporte plusieurs.
Corymbe. Type d'inflorescence en forme d'ombelles à pédoncules inégaux.
Coussin. Désigne une plante formant des touffes denses et généralement basses, hémisphériques.
Couvre-sol. Nom donné aux végétaux qui s'étendent sur le sol de façon à le couvrir. Les plantes couvre-sols ont la propriété d'empêcher le développement des mauvaises herbes.
Cultivar. Chez les plantes cultivées, c'est un type d'individus obtenus par sélection à partir d'une espèce donnée.
Cyme. Type d'inflorescence dont les axes principaux sont terminés par une seule fleur et dont toutes les ramifications naissant au-dessous se terminent également par une seule fleur.

D-E

Denté. Dont les bords portent des dents de largeur variable, à sinus aigus. On dit aussi dentelé.
Denticulé. Finement denté.
Digité. Dont la forme découpée évoque la disposition des doigts d'une main ouverte.
Division. Désigne la séparation d'une souche en plusieurs éclats.
Dormance. État d'incapacité de croissance et surtout de débourrement, liée à une cause interne à l'objet considéré.
Double. Forme acquise par une fleur lorsque les étamines se transforment en pétales. Lorsque carpelles et étamines sont tous ainsi transformés, la fleur est dite pleine.
Drageon. Tige souterraine issue de la souche d'une plante et assurant sa propagation.
Drainé. Caractérise un sol exempt d'humidité stagnante et favorable à la croissance des plantes.

Éclaircir. Aménager des espacements entre des plantes trop rapprochées par suppression de certaines d'entre elles, afin de favoriser le bon développement des autres.
Éclat. Fragment de plante obtenu par la division d'une touffe et muni de racines.
Engrais. Matière fertilisante incorporée au sol de manière à améliorer l'alimentation des plantes.
Entier. A bords unis, dépourvus de tout dentelage.
Éperon. Excroissance en pointe ou en cornet, aiguë et

longue, placée derrière le calice ou la corolle d'une fleur.
Épi. Inflorescence indéfinie (pas de fleur terminale sur l'axe), simple si les fleurs sont attachées directement sur un axe, composée lorsqu'elle est constituée de petits épis.
Érigé. Dressé.
Espèce. Groupe d'individus semblables les uns aux autres, du point de vue morphologique, physiologique et chromosomique, semblables tout autant à leurs descendants et à leurs ascendants, et pouvant théoriquement se croiser entre eux.
Étamine. Partie mâle d'un végétal présentant en général un filet qui porte l'anthère.
Étêter. Enlever la tête, ou l'axe principal, ou le bourgeon terminal.

F-G-H

Feuille. Organe aérien d'une plante, généralement aplati et pourvu de chlorophylle, produit par une extension latérale de la pousse encore très jeune.
Festonné. S'applique aux feuilles dont les bordures présentent des ondulations marquées.
Fleur. Ensemble des organes de reproduction chez les Phanérogames. Il peut comprendre l'un des deux organes sexuels des plantes : étamines ou pistil, ou les deux à la fois, entourés ou pas des enveloppes ordinaires (calice ou corolle ou les deux).
Fleuron. Petite fleur dont la corolle est en forme de tube.
Foliacé. Décrit un organe lorsqu'il présente l'aspect d'une feuille.
Foliole. Petite feuille ; limbe élémentaire d'une feuille composée, attaché par un pétiole secondaire sur un pétiole commun.
Fongicide. Produit phytosanitaire destiné à soigner les maladies dues à des champignons.
Fronde. « Feuille » de fougère ayant effectivement l'aspect d'une feuille, mais portant la fructification, ce qui ne se produit jamais chez une feuille au sens strict.

Genre. Subdivision de la famille : désigne un groupe d'espèces présentant entre elles des caractéristiques plus générales que celles déterminant les espèces elles-mêmes.
Gibbosité. Renflement semblable à une bosse.
Glauque. Vert bleuâtre.
Graine. Stade final du développement de l'ovule parvenu à maturité. A ne pas confondre avec le fruit, stade final du développement de l'ovaire. La graine est propre aux plantes à fleurs.
Grappe. Type d'inflorescence où les fleurs sont attachées à un axe commun allongé.

Hampe. Axe simple, souvent droit et relativement rigide, terminé par les fleurs.
Herbacé. Dont l'appareil végétatif est non ligneux.
Hérissé. Garni de poils droits et raides. Appliqué au port d'une plante, ce terme désigne un végétal aux tiges raides, dressées en tous sens.
Hiverner. Mettre des plantes dans un endroit couvert et protégé, afin de leur éviter de trop grands froids en hiver.
Humifère. Se dit d'un sol riche en humus.
Humus. Ensemble de matières organiques issues de la décomposition des débris végétaux à la surface du sol et qui participent à sa fertilité.
Hybride. Plante issue de croisement d'espèces appartenant au même genre ou à des genres différents. Ce croisement s'appelle hybridation.
Inflorescence. Disposition des fleurs sur la plante. Il existe de nombreux types d'inflorescences : capitule, cyme, grappe, ombelle, etc.

L-M

Labié. En forme de lèvre.
Laineux. Recouvert de nombreux poils frisés et mous, donnant l'aspect de toison de laine.
Lancéolé. En forme de lancette ou de fer de lance étroit et pointu aux deux extrémités.
Latex. Suc d'aspect laiteux circulant dans certains végétaux, dans des vaisseaux appelés laticifères.
Lèvre. Dans une corolle ou un calice de fleur labiée, les deux divisions principales sont appelées lèvres.
Lobe. Division d'un organe comprise entre deux sinus plus ou moins profonds.

Maculé. Taché d'une couleur tranchant sur le fond.
Marcottage. Mode de multiplication des plantes où l'on fait enraciner une branche — « marcotte » — en la couchant sur le sol ou en l'enfouissant dedans. Une fois celle-ci enracinée, on la sépare de la souche-mère.
Marge. Bord. Une partie d'organe située au bord de celui-ci est dite marginale. Un organe bordé, par exemple d'une bande d'une autre couleur, est dit marginé.
Massif. Composition à base de plantes à fleurs, vivaces ou non, généralement de forme irrégulière.
Mildiou. Ensemble de maladies favorisées par un climat humide et doux, provoquant l'altération des fruits, des feuilles, etc.
Mixed-border. Terme d'origine anglaise s'appliquant aux plates-bandes d'aspect libre, où sont associés différents types de végétaux : arbustes, plantes vivaces, bulbeuses, annuelles, conifères, etc.
Multiflore. Donnant de nombreuses fleurs.
Multiplication. Mode de propagation où n'interviennent pas les organes sexuels : greffage, marcottage... à la différence de la reproduction qui implique la sexualité.

N-O

Naturalisé. S'applique à une plante étrangère au pays, que l'on a acclimatée au point qu'elle se propage désormais comme une plante naturelle.
Nervures. Lignes saillantes portées par les feuilles, les sépales, les pétales, etc., formées de fibres et de vaisseaux. La nervure continuant le pétiole est dite nervure médiane, ou primaire, ou principale.

Obovale. En forme d'ovale.
Oïdium. Maladie due à des champignons dont les filaments rampent à la surface des organes de l'hôte.
Ombelle. Type d'inflorescence où les fleurs sont disposées en parasol, leurs pédicelles rayonnant à partir d'un même point. Une ombelle composée possède plusieurs ombellules ou petites ombelles.
Opposé. Caractérise une disposition où des organes situés à la même hauteur sont placés en face l'un de l'autre.

P

Paillis. Couche de paille, de fumier, de tourbe, d'aiguilles de pin... de quelques centimètres, dont on couvre le sol pour réduire l'évaporation, en maintenir ainsi la fraîcheur et éviter le tassement dû à l'arrosage.
Panaché. Désigne un mode de coloration où un organe est nuancé de plusieurs couleurs.
Panicule. Type d'inflorescence en grappes composées.

Paripenné. Dont le nombre de divisions — feuille pennée — est pair.
Pédoncule. Portion de tige portant la fleur.
Pelté. En forme de bouclier.
Penné. Caractère d'une feuille composée où la disposition des folioles de chaque côté de l'axe fait penser aux barbes d'une plume.
Persistant. Opposé à caduc, c'est le caractère propre aux feuilles toujours vertes qui ne tombent pas, demeurant sur la plante plusieurs années.
Pétale. Pièce ou appendice de l'enveloppe interne de la fleur ou corolle.
Pétiole. Support de la feuille ou « queue » par lequel elle est reliée à la tige.
pH. Degré d'acidité ou d'alcalinité du sol. Un sol est dit neutre lorsque le pH avoisine 7, acide lorsqu'il est inférieur à 7, et alcalin lorsqu'il est supérieur à 7.
Pincement. Sectionnement de l'extrémité des rameaux jeunes avec les ongles, de façon à favoriser le développement d'autres branches ou de fruits.
Pistil. Partie femelle de la fleur.
Pivot. Racine principale, la plus grosse, s'enfonçant à la verticale dans le sol.
Plant. Plante très jeune, issue de graine ou d'un fragment d'une autre plante, destinée à être repiquée.
Plate-bande. Partie d'un jardin, en général à peu près plate, allongée, réservée à une culture précise, de fleurs la plupart du temps.
Pleine-terre. Désigne la possibilité, pour une plante, d'être cultivée sans précautions particulières (abri...) en plein air.
Plomber. Compacter la terre pour la rendre plus consistante, à l'aide d'une planchette ou d'un rouleau. Arroser une plante directement à son pied, après transplantation.
Pousse. Rameau encore jeune, muni déjà de feuilles, en cours d'évolution.
Prostré. Se dit de certains végétaux à port bas et très touffu.
Pubescent. Synonyme de duveteux : couvert de poils fins, peu serrés, courts, mous, formant comme un duvet.
Pucerons. Insectes de petite taille, souvent extrêmement prolifiques, qui peuvent envahir les parties aériennes de certaines plantes qu'ils affaiblissent en en suçant la sève.

R

Rabattre. Couper les gros rameaux ou les branches d'une plante ou d'un arbre afin de favoriser le développement de nouvelles pousses.
Racème. Synonyme de grappe.
Rampant. Désigne la position couchée sur le sol. Une tige « rampante » émet souvent de petites racines.
Rejet. Jeune pousse feuillée se formant à partir de la souche d'une plante vivace ou ligneuse après abattage.
Remontant. Fleurissant ou fructifiant deux fois au cours de la même année.
Repiquer. Replanter des jeunes plantes de manière que leur nouvelle position leur procure des conditions meilleures pour leur développement jusqu'à leur mise en place définitive.
Repos. Période d'arrêt de la croissance. Le repos peut être dû à une cause externe ou interne ; dans le second cas, on parle de « dormance ».
Reprise. Capacité d'un végétal à s'adapter à une nouvelle situation et à y poursuivre sa vie. On utilise ce terme après un repiquage ou une transplantation.
Ressuyer. Permettre l'écoulement d'un excès d'eau du sol ou de la terre d'un pot, afin d'éviter la saturation.
Rhizome. Tige horizontale, parfois tubérisée, permettant à la plante de se propager de manière végétative.
Rubanné. Qualifie un organe, généralement une feuille, en forme de ruban.
Rusticité. Caractère des plantes rustiques, c'est-à-dire résistant aux conditions extérieures de notre climat, en particulier au froid hivernal.

S

Sarmenteux. Caractère d'une plante généralement grimpante dont les tiges, longues et flexibles, doivent prendre appui sur un support.
Semence. Partie d'une plante apte à assurer sa propagation, et que l'on peut conserver.
Semi-double. Relatif à une fleur possédant un nombre de pétales supérieur à la normale.
Semi-persistant. Végétal dont les feuilles ne subsistent qu'une partie de l'année sur les branches.
Sépale. Pièce du calice.
Simple. Ni ramifié, ni divisé. Relatif aussi à une fleur possédant un nombre normal de pétales.
Sore. Amas de sporanges (capsules contenant les spores) situé à la face inférieure des frondes de fougères.
Souche. Partie souterraine de la tige des vivaces.
Sous-bois. Végétation se développant sous les grands arbres d'une forêt, comprenant des arbustes et un tapis de plantes herbacées.
Sous-espèce. Classification de botanique inférieure à l'espèce mais plus large que la variété.
Spontané. Qui croît naturellement dans un site (plante dite « sauvage ») par opposition à cultivé.
Sporange. Petite capsule propre aux plantes cryptogames, contenant les spores.
Spore. Très petit organe reproducteur assurant la dissémination des Cryptogames (champignons, fougères...).
Stolon. Synonyme botanique de coulant et filet.
Style. Partie du pistil en forme de petite colonne.

T-V

Taille. Opération où l'on sectionnne des fragments d'organes (tiges, feuilles) pour améliorer le port, la croissance ou la floraison d'un végétal.
Terreau. Mélange de terres ou de substrats riches en humus, léger et poreux.
Tige. Par opposition à la racine, c'est l'organe aérien de la plante, pousse porteuse des feuilles.
Tomenteux. Couvert de poils serrés et entrelacés, à l'aspect cotonneux.
Tourbe. Matière d'origine biologique résultant de la décomposition sur place des plantes des tourbières.
Traçant. Qui émet des rhizomes souterrains et possède des rejetons de tous côtés.
Tubercule. Partie renflée d'un rhizome ou d'une racine.
Tubéreux. Se dit d'un organe se renflant à la façon d'un tubercule.
Type. Relatif à un végétal rassemblant au plus haut degré les caractéristiques propres à son espèce ou à sa variété.

Variété. Plante ou ensemble de plantes différant des individus de son espèce par un ou quelques caractères limités, d'importance secondaire du point de vue de la classification. La variété peut être soit une forme provisoire, liée à une condition de culture, soit un aspect définitif lorsqu'elle est obtenue par hybridation et sélection. En horticulture, on parle de « cultivar ».

INDEX

Les chiffres en **caractère gras** indiquent que le mot fait l'objet d'un développement. Les chiffes en *italique* renvoient aux illustrations.

A

- ACANTHUS, **28**
  - mollis, **28**, *28*
  - spinosus, **28**, *28*
- ACHILLEA, **29-30**
  - clypeolata, **29**, *30*
  - filipendulina, **29**, *29*
  - millefolium, **30**, *30*
  - ptarmica, **30**
  - x taygetea, **30**
- AGAPANTHUS, **31-32**
  - campanulatus, **31**, *32*
  - umbellatus, **31**, *31*
- AGASTACHE, **32**
  - anisata, **32**, *32*
  - mexicana, **32**
- ALSTROEMERIA, **33**, *33*
  - aurantiaca, **33**, *33*
  - ligtu, **33**, *33*
- ALTHAEA, **34**, *34*
  - ficifolia, **34**
  - rosea, **34**, *34*
- ANAPHALIS, **35**
  - margaritacea, **35**, *35*
  - triplinervis, **35**, *35*
- ANCHUSA, **36**, *36*
- ANTHEMIS, **37**
  - sancti-johannis, **37**
  - tinctoria, **37**, *37*
  - racemosum, **37**
- ANTHERICUM, **38**, *38*
- AQUILEGIA, **38-40**
  - alpina, **38**, *39*
  - caerulea, **38**,**40**, *40*
  - canadensis, *39*, **40**
  - chrysantha, **40**
  - flabellata, *39*, **40**
  - vulgaris, *39*, **40**
- ARENARIA, **41**
  - balearica, *41*
  - montana, **41**
- ARMERIA, **41**
  - maritima, **41**, *41*
  - pseudarmeria, **41**
- ARTEMISIA, **42-44**
  - absinthum, **42**
  - lactiflora, **42**
  - latiloba, **43**, *43*
  - ludoviciana, **43**, *43*
  - maritima, **43**
  - pontica, **43**
  - schmidtiana, *42*, **43**
  - stelleriana, **44**, *44*
- ASCLEPIAS, **45**
  - incarnata, **45**, *45*
  - syriaca, **45**, *45*
  - tuberosa, **45**, *45*
- ASPHODELINE, **46**, *46*
- ASPHODELUS, **46**, *46*
- ASTER, **47-51**, *47*
  - amellus, **47**, *50*
  - cordifolius, **48**
  - divaricatus, **48**
  - dumosus, **48**, *48*
  - ericoides, **48**
  - x frikartii, **47**
  - laevis, **48-49**
  - lateriflorus, **49**
  - linosyris, **47**
  - novae-angliae, *48*, **49**, *50*
  - novi-belgii, **49**, *50*
  - ptarmicoides, **49**
  - pyrenaeus, **47**
  - sefidolius, **47-48**
  - sibiricus, **48**
  - tongolensis, **48**, *49*
  - vimineus, **49**

B-C

- BAPTISIA, **52**, *52*
- BOLTONIA, **53**, *53*
- BUGLOSSOIDES, **53**, *53*
- CALLIRHOE, **54**, *54*
- CAMPANULA, **54-56**
  - alliariifolia, **54**
  - barbata, **54-55**
  - carpatica, **55**, *55*
  - cochlearifolia, *56*
  - glomerata, **55**, *55*
  - persicifolia, *54*, **55**
  - portenschlagiana, **55**, *55*
  - pyramidalis, **56**
- CATANANCHE, **57**, *57*
- CENTAUREA, **58-59**
  - dealbata, **58**, *58*
  - gymnocarpa, **58**
  - macrocephala, **58**
  - montana, **58**, *59*
  - pulcherrima, **58**, *59*
- CENTRANTHUS, **59**, *59*
- CEPHALARIA, **60**, *60*
- CERASTOSTIGMA, **60**
  - plumbaginoides, **60**, *60*
  - willmottianum, **60**
- CHRYSANTHEMUM, **61-63**
  - arcticum, **61**
  - coccineum, **61-62**, *61*
  - haradjani, *42*, **62**, *62*
  - leucanthemum, **62**, *63*
  - maximum, **62**
  - serotinum, **62**
- CHRYSOGONUM, **64**, *64*
- CLEMATIS
  - jackmanii 'Superba', *100*
  - vitalba, *10*
- COMMELINA, **64**, *64*
- COREOPSIS, **65-66**
  - auriculata, **65**
  - grandiflora, **65**, *65*
  - lanceolata, **65**
  - tripteris, **65**
  - verticillata, **65**, *66*
- CRAMBE, **66**
  - cordifolia, **66**, *66*
  - maritima, **66**
- CROCOSMIA, **67**
  - x crocosmiiflora, **67**, *67*
  - masonorum, **67**, *67*
- CYNARA, **68**, *68*

D-E-F-G-H

- DELPHINIUM, *17*, *25*, **68-70**
  - x belladonna, **68**
  - pylzowianum, **69**
  - zazil, **69**, *69*
- DIANTHUS, **71**
  - x allwoodii 'Ine', *71*
  - plumarius, **71**, *71*
  - superbus, **71**
- DICTAMNUS, **72**, *72*
- DIERAMA, **73**, *73*
- DRACOCEPHALUM, **73**, *73*
- ECHINACEA, **74**, *74*
- ECHINOPS, *75*, **75**
  - bannaticus, **75**
  - ritro, **75**, *75*
  - sphaerocephalus, **75**
- EREMURUS, **76-77**
  - himalaicus, **76**
  - olgae, *76*
  - robustus, **76**
  - stenophyllus, **76**
- ERIGERON, **77**, *77*
- ERODIUM, **78**, *78*
- ERYNGIUM, **78-79**
  - alpinum, **78**
  - amethystinum, **78**, *79*
  - bourgatii, **78-79**, *79*
  - planum, *78*, **79**
- EUPHORBIA, **80-81**
  - amygdaloides, **80**
  - characias, *23*, **80**, *80*
  - griffithii, *80*, **80-81**
  - palustris, **81**
  - polychroma, **81**, *81*
- FOENICULUM, **81**, *81*
- GAILLARDIA, **82**
- GAURA, **82**, *82*
- GERANIUM, **83-86**, *83*
  - cantabridgense 'Biokovo', **83**
  - cinereum, **83-84**, *84*
  - dalmaticum, **84**
  - endressii, **84**, *84*
  - himalayense, **84-85**
  - macrorrhizum, *56*, **85**
  - x magnificum, **85**, *85*
  - orientalitibeticum, **85**
  - psilostemon, **85**, *86*
  - pylzowianum, **85**
  - renardii, **85**, *86*
  - x riversleaianum, **85**
  - sanguineum, **85-86**, *85*
  - subcaulescens, **86**
  - wallichianum, **86**
- GEUM, **87**
  - chiloense, **87**, *87*
  - coccineum, **87**
  - rivale, **87**
- GYPSOPHILA, **88**
  - pacifica, **88**
  - paniculata, **88**, *88*
- HELENIUM, **89**
  - bigelowii, **89**
  - hoopessi, **89**
- HELIANTHUS, **90**
  - atrorubens, **90**
  - decapetalus, **90**, *90*
  - salicifolius, **90**
- HELIOPSIS, **91**, *91*
- HELLEBORUS, *10*
- HESPERIS, **92**, *92*
- HYPERICUM, **93**
  - calcynum, **93**, *93*
  - polyphyllum, **93**, *93*
- HYSSOPUS, **94**

I-K-L

- INCARVILLEA, **94-95**
  - delavayi, **94**
  - mairei, **94**, *95*
  - olgae, **94-95**
- INULA, **95-96**
  - ensifolia, **95**, *95*
  - helenium, **95-96**
  - hirta, **96**
  - hookeri, **96**, *96*
  - magnifica, **96**, *96*
  - orientalis, **96**
- IRIS, **97-99**
  - chrysographes, **97**
  - x barbata-nana, **97**
  - x barbata-media, **97**
  - x barbata-eliator, **97**, *97*, *98*
  - orientalis, **97-98**
  - pallida, *97*, **98**
  - spuria, **98**, *98*
- KNIPHOFIA, **99**, *99*
  - galpinii, **99**
  - tuckii, **99**
- LAVANDULA, **100**
  - angustifolia, **100**
  - latifolia, **100**
  - stoechas, **100**
- LAVATERA, **101**
  - olbia, **101**, *101*, *124*
  - thuringiaca, **101**, *101*
- LIATRIS, **102**
  - pycnostachya, **102**
  - scariosa, **102**
  - spicata, **102**, *102*
- LIMONIUM, **102-103**, *103*
- LINARIA **103**
  - purpurea **103**
  - triornithophora **103**, *103*
- LINUM, **104**
  - narbonense, **104**, *104*
  - perenne, **104**
- LUPINUS, *9*, **104-105**, *105*
  - polyphyllus, **104-105**
- LYCHNIS, **106**
  - x arkwrightii, **106**
  - chalcedonica, **106**, *106*
  - coronaria, **106**, *106*
  - flo-jovis, *44*
  - haageana, **106**
  - viscaria, **106**
- LYSIMACHIA, *21*

M-N-O-P

- MALVA, **107**
  - alcea, **107**
  - moschata, **107**, *107*
- MARRUBIUM, **108**, *108*
- MORINA, **108**, *108*
- NEPETA, **109**
  - x faassenii, **109**
  - mussinii, **109**
  - nervosa, **109**
  - sibirica, **109**, *109*
- OENOTHERA, **110**
  - missouriensis, *23*, **110**, *110*
  - odorata var. sulphurea, **110**
  - tetragona, **110**, *110*
- ORIGANUM, **111**
  - laevigatum, **111**
  - vulgare, **111**, *111*
- PAEONIA, **112-114**
  - emodi, **112**
  - lactiflora, **112**, *113*, *114*
  - mloksewitschii, **112**, *113*
  - officinalis , **112**, *112*, *113*
  - peregrina, **112**
  - tenuifolia, *112*, **112**, **114**
- PAPAVER, *25*, **115-116**
  - atlanticum, **115**
  - nudicaule, **115-116**, *116*
  - orientale, *115*, **116**
  - pilosum, **116**
- PENSTEMON, *25*, **117**
  - barbatus, **117**
  - campanulatus, **117**
  - hartwegii, **117**
  - hirsutus, **117**
  - menziesii, **117**
  - scouleri, **117**
- PHLOMIS, **118**
  - fruticosa, **118**, *118*
  - herba-venti, **118**
  - samia, **118**
  - tuberosa, **118**, *118*
- PHLOX, *21*
- PHUOPSIS, **119**, *119*
- PHYSALIS, *10*, **119**, *119*
- PLATYCODON, **120**, *120*
- POLEMONIUM, **121**
  - caeruleum, **121**, *121*
  - pauciflorum, **121**
  - pulcherrimum, **121**
  - reptans, **121**
- POTENTILLA, **122**
  - alba, **122**
  - argentea, **122**
  - atrosanguinea, **122**, *122*
  - megalantha, **122**
  - recta, **122**
- PRUNELLA, **123**
  - grandiflora, **123**
  - vulgaris, **123**
  - x webbiana, **123**, *123*

R-S-T-V-Z

- ROMNEYA, **124**, *124*
- RUDBECKIA, **124-125**, *125*
  - fulgida, **124**, **125**, *125*
  - laciniata, **125**
  - nitida, **125**
  - triloba, **125**
- RUTA, **126**
  - graveolens, **126**, *126*, *129*
- SALVIA, **127-129**
  - argentea, **127**, *127*
  - azurea, **127**
  - coccinea, *127*
  - glutinosa, **127**
  - grahamii, **127**
  - involucrata, **127**
  - nemorosa, *25*, **127-128**, *128*
  - officinalis, *24*, **128**
  - patens, **128**, *129*
  - pratensis, **128**, *128*
  - sclarea, **128-129**, *129*
- SANTOLINA, **130**
  - chamaecyparissus, **130**
  - neapolitana, *130*
  - rosmarinifolia, **130**
- SAPONARIA, **131**, *131*
- SCABIOSA, **131**
  - caucasica, **131**, *131*
  - graminifolia, **131**
- SEDUM, **132**, *132*
  - cauticolum, **132**
  - spectabile, **132**, *132*
  - telephium, **132**
- SIDALCEA, *42*, **133**, *133*
  - malviflora, **133**
- SILENE, **133**
  - maritima, **133**, *133*
  - schafta, **133**
- STACHYS, **134**
  - grandiflora, **134**, *134*
  - lanata, **134**, *134*
  - nivea, **134**
  - olympica, **134**
- TEUCRIUM, **135**
  - chamaedrys, **135**, *135*
  - massiliense, **135**
  - scorodonia, **135**
- VERBASCUM, **136**
  - bombyciferum, **136**
  - nigrum, **136**, *136*
  - olympicum, **136**
- VERONICA, **137-139**
  - fruticans, **137**
  - gentianoides, **137**, *138*
  - incana, **137**
  - longifolia, **137**, *138*
  - petraea, **137**, *137*
  - spicata, **137**, *138*
  - teucrium, **137-138**
  - virginica, **138**
- ZAUSCHNERIA, **139**, *139*

CREDITS DES PHOTOGRAPHIES

8: BULLOZ — **9**: G. Lévêque — **10 h-c**: Dr G. Mazza — **10 b**: Lamontagne — **12**: Lamontagne — **13**: J. Le Bret — **14**: Lamontagne — **17**: G. Lévêque — **20 h**: J. Le Bret — **20 b**: G. Lévêque — **21**: G. Lévêque — **23 h**: G. Lévêque — **23 bg**: J. Le Bret — **24 bd**: Lamontagne — **24**: G. Lévêque — **25**: G. Lévêque — **26-27**: G. Lévêque — **28 bg**: Dr G. Mazza — **28 bd**: Lamontagne — **29**: G. Lévêque — **30 h**: G. Lévêque — **31**: Dr G. Mazza — **32 hg-b**: G. Lévêque — **32 hd**: A. Descat/BAMBOO — **33 h-bg**: A. Descat/BAMBOO — **33 bd**: G. Lévêque — **34 h**: Dr G. Mazza — **34 bg**: Lamontagne — **34 bd**: J.-P. Cordier — **35 h**: Lamontagne — **35 b**: G. Lévêque — **36**: G. Lévêque — **37**: G. Lévêque — **38 g**: A. Descat/BAMBOO — **38 hd**: Lamontagne — **38 bd**: Dr G. Mazza — **39 hg-bd**: J. Le Bret — **39 hd**: G. Lévêque — **39 c**: Dr G. Mazza — **39 bg**: A. Descat/BAMBOO — **40 h**: A. Descat/BAMBOO — **40 b**: G. Lévêque — **41 h**: P. Ferret — **41 b**: J.-P. Cordier — **42**: G. Lévêque — **43 h**: J. Le Bret — **43 b**: A. Descat/BAMBOO — **44 h**: G. Lévêque — **44 b**: A. Descat/BAMBOO — **45 h**: P. Ferret — **45 bg**: J.-P. Cordier — **45 bd**: Lamontagne — **46 h**: G. Lévêque — **46 bg**: A. Descat/BAMBOO — **46 bd**: Lamontagne — **47**: G. Lévêque — **48**: Lamontagne — **49**: G. Lévêque — **50 hg-hd-bd**: Lamontagne — **50 cg**: G. Lévêque — **50 cd**: A. Descat/BAMBOO — **50 bg**: Dr G. Mazza — **52 h**: A. Descat/BAMBOO — **52 b**: G. Lévêque — **53 h**: P. Ferret — **53 b**: Lamontagne — **54 h**: P. Ferret — **54 b**: G. Lévêque — **55 h**: J. Le Bret — **55 c**: Lamontagne — **55 b**: Dr G. Mazza — **56**: Lamontagne — **57 h**: A. Descat/BAMBOO — **57 b**: Lamontagne — **58**: Lamontagne — **59 hg-hd**: A. Descat/ BAMBOO — **59 b**: G. Lévêque — **60**: Lamontagne — **61 h**: A. Descat/BAMBOO — **61 b**: G. Lévêque — **62**: J. Le Bret — **63**: G. Lévêque — **64 h**: G. Lévêque — **64 b**: A. Descat/BAMBOO — **65**: G. Lévêque — **66**: G. Lévêque — **67 h**: Lamontagne — **67 b**: G. Lévêque — **68**: G. Lévêque — **69 hg**: Lamontagne — **69 hd**: A. Descat/BAMBOO — **69 b**: G. Lévêque — **71 h**: A. Descat/BAMBOO — **71 b**: Lamontagne — **72 h**: Dr G. Mazza — **72 b**: Lamontagne — **73 h**: G. Lévêque — **73 b**: Dr G. Mazza — **74 h**: G. Lévêque — **74 b**: Lamontagne — **75 h**: Dr G. Mazza — **75 b**: A. Descat/BAMBOO — **76**: A. Descat/BAMBOO — **77**: J. Le Bret — **77 b**: J.-P. Cordier — **78 h**: Dr G. Mazza — **78 b**: Lamontagne — **79 h**: Dr G. Mazza — **79 b**: A. Descat/BAMBOO — **80 h**: G. Lévêque — **80 b**: A. Descat/BAMBOO — **81**: G. Lévêque — **82 h**: Dr G. Mazza — **82 b**: A. Descat/BAMBOO — **83**: G. Lévêque — **84 h**: A. Descat/BAMBOO — **84 c**: J. Le Bret — **84 b**: Lamontagne — **85 h**: A. Descat/BAMBOO — **85 b**: J. Le Bret — **86**: Lamontagne — **87 g**: Dr G. Mazza — **87 d**: J. Le Bret — **88**: Lamontagne — **89**: G. Lévêque — **90**: Lamontagne — **91 h**: J. P. Cordier — **91 b**: Lamontagne — **92**: A. Descat/BAMBOO — **93 h**: Lamontagne — **93 b**: G. Lévêque — **94**: G. Lévêque — **95 h**: Lamontagne — **95 b**: A. Descat/BAMBOO — **96 h**: G. Lévêque — **96 b**: J. Le Bret — **97**: Lamontagne — **98 hg-d**: Lamontagne — **98 b**: G. Lévêque — **99 h**: G. Lévêque — **100**: G. Lévêque — **101 h**: A. Descat/BAMBOO — **101 b**: Lamontagne — **102**: G. Lévêque — **103 h**: J. Le Bret — **103 b**: G. Lévêque — **104**: A. Descat/BAMBOO — **105 h**: J. Le Bret — **105 b**: G. Lévêque — **106 h**: A. Descat/BAMBOO — **106 b**: Lamontagne — **107 h**: A. Descat/BAMBOO — **107 b**: Lamontagne — **108 h**: P. Ferret — **108 b**: A. Descat/BAMBOO — **109**: G: Lévêque — **110 h**: Lamontagne — **110 b**: G. Lévêque — **111 h**:G. Lévêque — **111 b**: Lamontagne — **112 h**: A. Descat/BAMBOO — **112 b**: G. Lévêque — **113 hg-cg-b**: G. Lévêque — **113 cd**: J. Le Bret — **114**: Lamontagne — **115 h**: A. Descat/BAMBOO — **115 b**: Lamontagne — **116**: G. Lévêque — **117**: G. Lévêque — **118 h**: A. Descat/BAMBOO — **118 b**: G. Lévêque — **119 h**: J. Le Bret — **119 b**: G. Lévêque — **120**: A. Descat/BAMBOO — **121**: A. Descat/BAMBOO — **122**: Dr G. Mazza — **123**: G. Lévêque — **124**: G. Lévêque — **125 h**: Lamontagne — **125 b**: G. Lévêque — **126 h**: Dr G. Mazza — **126 b**: G. Lévêque — **127 h**: G. Lévêque — **127 b**: Dr G. Mazza — **128 hg-b**: G. Lévêque — **128 hd**: A. Descat/BAMBOO — **129 hg**: A. Descat/BAMBOO — **129 hd-b**: G. Lévêque — **130**: G. Lévêque — **131 h**: G. Lévêque — **131 b**: A. Descat/BAMBOO — **132 h**: Dr G. Mazza — **132 b**: G. Lévêque — **133 h**: A. Descat/BAMBOO — **133 b**: J. Le Bret — **134 h**: Dr G. Mazza — **134 b**: G. Lévêque — **135**: Dr G. Mazza — **136 h**: J. Le Bret — **136 b**: G. Lévêque — **137**: Dr G. Mazza — **138 hg**: G. Lévêque — **138 hd-b**: Lamontagne — **139 h**: A. Descat/BAMBOO — **139 b**: Lamontagne.

Photogravure : France Scanner. Photocomposition : Eurocomposition, Sèvres.
Imprimerie : Printer, Barcelone.
Dépôt légal : mars 1989. N.° série éditeur : 15019.
Imprimé en Espagne *(Printed in Spain)* : 515105 - Mars 1989
D. L.: B. 4497-1989